京極一樹
Kazuki Kyogoku

ちょっとわかればこんなに役に立つ
統計・確率のほんとうの使い道

JIPPI Compact

実業之日本社

はじめに

　数学という科目は「なんでこんなもの勉強しなければならないのか」と思われやすい、いわば「嫌われ者」なのですが、統計と確率は実社会でほとんどの方々が必要になる学問です。

　小生が学生の頃は、高校数学の統計と確率は「場合の数と確率」で終わってしまって、標準偏差も分散も一切登場しませんでした。大学は理系に進んだのですが、「統計学は経済学の一部」と勝手に思いこんでしまっていて、後で大恥をかきました。「統計は1年でやったでしょ」といわれて、独学で統計を勉強しないと実験結果の解析ができない、という状況に追い込まれたのです。

　社会人にとっての統計・確率も同じような話ではないでしょうか。「数学嫌いでも大丈夫」「数学なんか世の中では不要」と思いこんでいたら、工場の生産現場では「ハイ、このデータ分析して！」と言われるのが日常茶飯事でしょうし、営業マンも数字が読めなければどうしようもないでしょう。

本書では、統計・確率に関して、高校数学の初歩から社会人数学の入口までを、できるだけやさしく解説するよう努めました。厄介だったのは「積分」の取り扱いでした。少し知っている方には積分があったほうがわかりやすいし、積分嫌いの方にはないほうがいいわけで、どちらの方々にも読んで頂けるように気を配りました。積分が嫌いな方はその部分は読まなくても内容が理解できるように努めました。

目指したものは「中学・高校レベルの数学で理解できる統計と確率」です。数列と級数は少々解説を追加しました。これを使った計算が随所に現れますが、多くが定理などの証明なので、その内容はわからなくても先には進めるはずです。

特に紹介したかったのは「確率分布」「推定・検定」です。確率過程は今回は省略しました。確率分布は「確率を簡単に計算するためのツール」、推定・検定は「確率を使って考えるためのツール」と思ってください。これらを何とか理解し利用して頂ければ著者の無上の喜びです。

読者の方々のご理解の一助となることを祈願します。

2012年1月　著者

目次

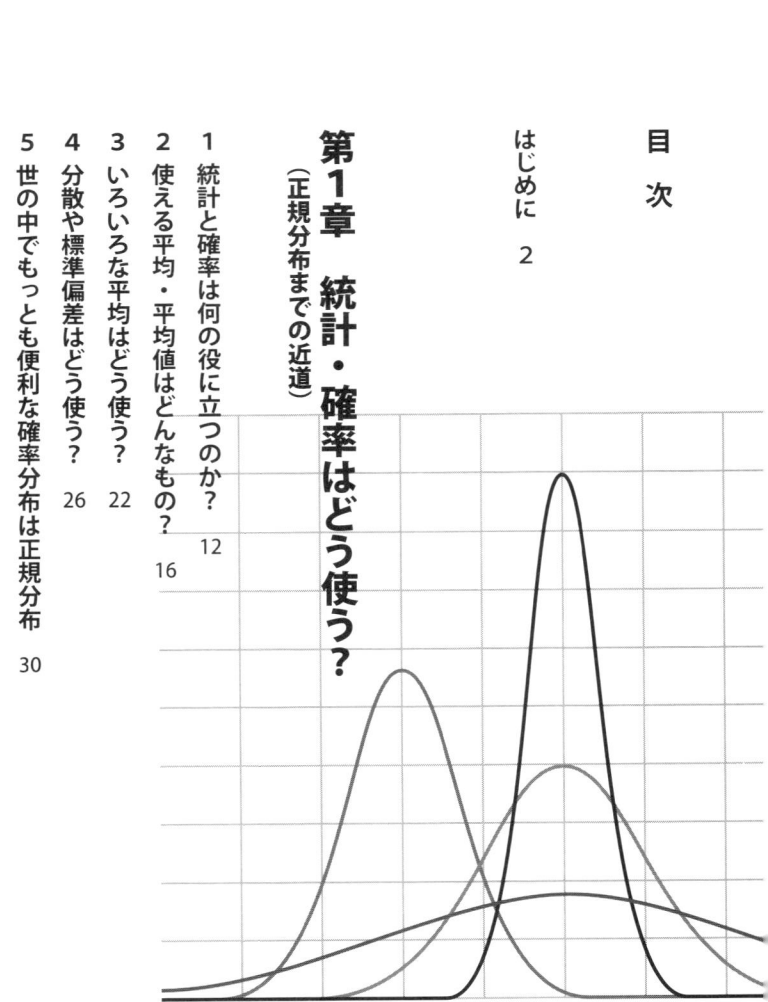

はじめに 2

第1章 統計・確率はどう使う?
(正規分布までの近道)

1 統計と確率は何の役に立つのか? 12
2 使える平均・平均値はどんなもの? 16
3 いろいろな平均はどう使う? 22
4 分散や標準偏差はどう使う? 26
5 世の中でもっとも便利な確率分布は正規分布 30

6 正規分布のもっとも身近な応用例は「偏差値」 36
7 試験の点数の実際の処理 38
8 ゴルフに正規分布を適用するとどうなるか？ 42
9 ホールインワンを正規分布で考える 46
[コラム] 高校数学の統計・確率にかかわる現状の学習指導要領 50

第2章　確率はどう使う？
（損をしないために）

1 確率の基本的な考え方 52
2 もっとも簡単な確率（コインとサイコロとトランプ） 56
3 確率を計算するのに便利なしくみ 60
4 ポーカーの役を確率から見る 64

第3章 確率分布は計算を楽にする

1 もっとも簡単な確率分布 92
2 統計と確率における平均と分散はどう違う? 96
3 母集団・標本と平均・分散の関係 100
4 標本分散と不偏分散の実際の計算例 106
5 余事象の確率の身近な応用例 74
6 地震の発生確率の逆算の考え方 76
7 確率論の起源となったサイコロの問題 78
8 期待値はギャンブルの賞金の配分から始まった 82
9 ギャンブルの期待値はどれくらいか? 84
[コラム] ギャンブルの配当率と控除率 90

5 二項分布…もっとも簡単な確率分布 112

6 二項分布などの平均と分散を求める 116

7 二項分布はどう使う？ 118

8 二項分布から派生するさまざまな確率分布 120

9 失敗の回数を考える幾何分布 124

10 成功と失敗の回数を考える負の二項分布 128

11 取り出した玉を元に戻さない超幾何分布 132

12 まれに起こる事象の平均だけを考えるポアソン分布 136

13 離散確率分布と連続確率分布はどう違う？ 140

14 ポアソン過程にはどんなものがあるか？ 144

15 その他の分布にはどんなものがあるか？ 148

[コラム] パスカルの三角形 152

第4章 ビジネスに本当に必要な統計解析

1 ビジュアルでの傾向分析に最適なツール 154
2 相関係数はどう使う？ 156
3 相関係数を使った分析の例 160
4 最小2乗法はどう使う？ 162
5 近似直線の使い方と季節変動の除去の方法 166
[コラム] 近似曲線のオプション設定 172

第5章 ウソも見破る推定・検定のテクニック

1 データの中身の違いにだまされるな 174
2 グラフによくあるウソ 178

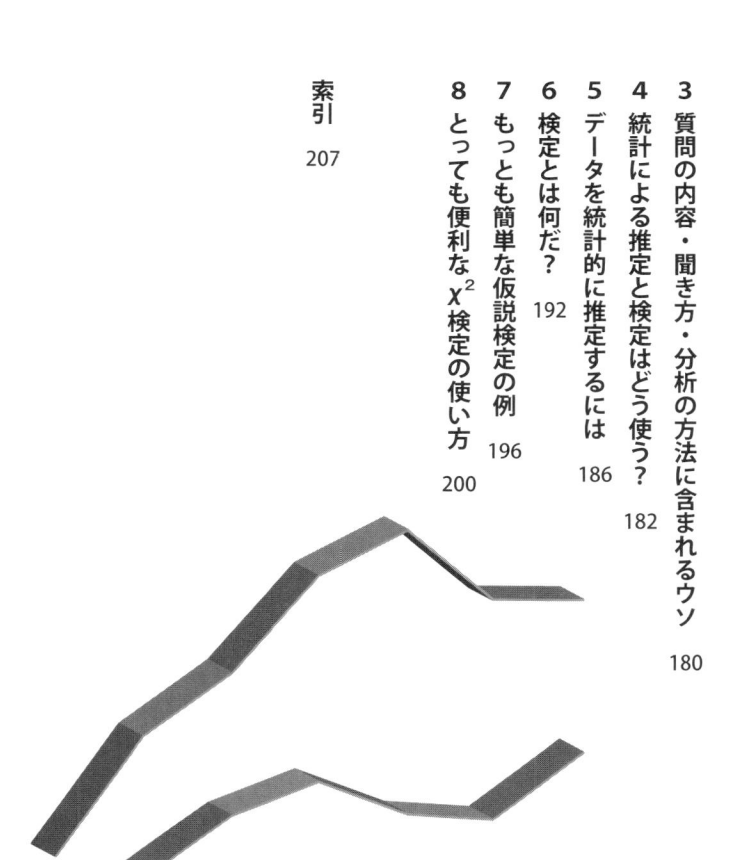

3 質問の内容・聞き方・分析の方法に含まれるウソ 180
4 統計による推定と検定はどう使う？ 182
5 データを統計的に推定するには 186
6 検定とは何だ？ 192
7 もっとも簡単な仮説検定の例 196
8 とっても便利な χ^2 検定の使い方 200

索引 207

装幀／杉本欣右

第1章

統計・確率は
どう使う？
(正規分布までの近道)

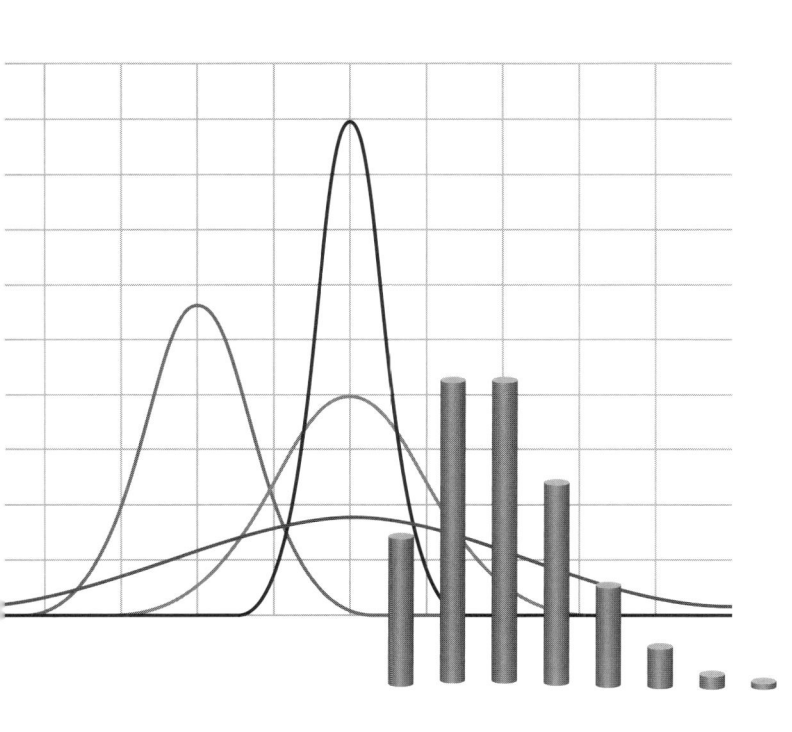

1 統計と確率は何の役に立つ分野か？

●中学・高校の数学の中でもっとも役に立つ分野が「統計と確率」

高校数学では、次のように「統計と確率」を学習します。しかし、現在の学習指導要領では「すべての内容を学習する」のではなく「科目の中からいくつかの内容を選択して学習する」こともあり、また入試の対象からは外される場合が多く、統計・確率を学習しない学校もあります。

○数A：「場合の数と確率」
○数B：「統計とコンピュータ」(度数分布表、相関図、代表値、標準偏差、分散、相関係数)
○数C：「確率分布」(確率変数と確率分布、二項分布)と「統計処理」(連続型確率変数、正規分布、母集団と標本、統計的な推測の考え)

しかしながらこの「統計と確率」が、医科・歯科・薬科を含むすべての理系の大学・専門学校や、経済学部、そして実社会におけるほとんどすべてのシーンで必要になります。極言すれば、中学・高校で学ぶ数学の中で、「もっとも役に立つ数学」は「統

計と確率」かもしれません。そして「統計と確率」が不要な人種は、ビジネスに関係しない文系の仕事に従事する方々、つまり文系の学者の方々くらいしかいない、ということがあまり知られていません（文系でも文法・用語解析には必須です）。

また「統計と確率」は、右頁で列挙したように、ブツブツ切り刻まれて学習します。そして、何にどう使うのかあまり理解しないうちに、上位の学校や社会に入ってしまいます。このあたりが、ここ十年くらい、社会人向けあるいは入門書の「統計と確率」の解説書が注目されている背景ではないでしょうか。

2012年度から施行される学習指導要領が若干変わりますが、統計と確率に関しては実質的にはほとんど変わりません。今回の改正では、数Aの内容に関してのみ、「選択」がなくなり、すべての内容の学習が義務付けられます。また統計と確率に関しては数Cの内容が数Bに統合されます。少しはまとまりよくなるかもしれません。

●統計は何の役に立つのか？

統計は、世の中に起きていることを分析してその傾向を理解し、対策を立てるための学問です。そのもっとも大事なデータが「平均値」と「標準偏差」です。これがど

13　第1章　統計・確率はどう使う？（正規分布までの近道）

う大事なのかは、実は「正規分布」という確率分布を理解してやっとわかる話だと思います。ですから、「統計」の価値を理解するまでにはかなりの道筋が必要です。まず正規分布まで、細かいことにはこだわらず超高速で進みます。

● 確率は何の役に立つのか？

こちらの方が、その価値を語るのが容易です。簡単にいえば、「すぐにわかる簡単な確率」から「複雑な事象の確率を計算する」ことが、

○（ギャンブルなどで）「儲ける」
○（投資などで）「損をしない」
○（提供する製品の）「不良品の割合を予測し、信用を守る」
○「商売の損得を予測して利益を極大化し損失を極小化する」

などという用途に役立ちます。

この計算のもとになる「すぐにわかる簡単な確率」には2種類あります。

○ある事象の起きる確率が初めから明らかな場合
○ある事象の起きる確率を統計分析から求めておく

この2つ目の確率の利用で、統計と確率が融合します（下図参照）。

● 確率分布は何の役に立つのか？

確率分布とは、「確率変数の各々の値に対して、その起こりやすさを記述する関数」です。

これは統計的な分析から得られた関数であり、これを使うと、確率を簡単に計算できます。

この確率分布の中でもっとも重要なものが「二項分布」と「正規分布」であり、すべての確率分布は、平均と分散・標準偏差を計算できます。

このあたりは若干難しいので、後でまた解説します。まずは次節で、初歩的な平均と標準偏差の解説から始めます。

■ 統計と確率の関係

統計 →（確率分布）→ 確率

統計分析　世の中の事象　確率予測

2 使える平均・平均値はどんなもの？

●平均にはどんな種類があるか

平均と平均値の意味はほぼ同じなのですが、統計上のデータとしてあつかう場合は「平均」であり、その値をうんぬんするときは「平均値」といいます。本書でも使い分けることがあります。平均には次のような種類があります。

○相加平均‥すべてのデータの合計をデータの個数で割ったもの（算術平均）
○相乗平均‥すべてのデータの積をデータの個数nで開いたn乗根（幾何平均）
○調和平均‥すべてのデータの逆数の平均の逆数
○中間項平均‥極端なデータを除いたデータの平均
○加重平均‥すべてのデータに重みをかけて合計し重みの合計で割ったもの

この中で、もっともよく使われるのは「相加平均」といわれるもので、これは「単純平均」とも呼ばれます。何も付けない「平均」は相加平均です。相加平均には、「すべてのデータとの差の合計が0になる」という性質があります（左頁コラム参照）。

単純平均以外の平均にもそれぞれ用途があり、これらは次節で解説します。

平均と分散・標準偏差あるいは第3章以降の確率分布では「数列と級数」の数学が少し必要であり、中学の数学ではないので次頁のコラムで簡単に解説しておきます。記号の使い方と思ってください。

● 特徴が異なるデータの平均は無意味

平均値とは、あるデータの集まりの傾向をみるために計算される「代表値」の1つであり、元の「データの集まり」の特徴が明確でなければ、むやみに平均を求めても無意味です。たとえばあるクラスの「男子・女子のすべての生徒の身長や体重の平均値」や「数学の試験と国語の試験の点数の平均点」を求めても意味がないことはおわかり頂けるでしょうか。

■ すべてのデータと相加平均との差の合計は 0

● 単純平均（相加平均）の定義

$$\begin{cases} \text{データ}: & x_i\ (i=1,2,\cdots,n) \\ \text{平均（相加平均）}: & \mu = \bar{x} = \dfrac{x_1+x_2+\cdots+x_n}{n} = \dfrac{1}{n}\sum_{i=1}^{n} x_i \end{cases}$$

$\bar{x}$を簡単に表す　　　これが$\bar{x}$の意味

すべてのデータの相加平均との差の合計は 0

$$\sum_{i=1}^{n}(x_i - \mu) = \sum_{i=1}^{n} x_i - \mu\sum_{i=1}^{n} 1 = \sum_{i=1}^{n} x_i - \frac{1}{n}\sum_{i=1}^{n} x_i \cdot n = 0$$

数列のn項までの和を次のように定義すると、これもまた数列となります。
この計算には、総和記号にかかわる演算、すなわちn個の定数の総和はその
定数のn倍であり、i＝1～nの総和は $n(n+1)/2$ であることなどを利用します。
前者は明らかでしょうし、後者は、先頭の1と末尾のnを加えて個数のn倍
して2で割る、という意味です。

$$S_n = \sum_{i=1}^{n} x_i = \sum_{i=1}^{n} \{a + (i-1)d\} = \sum_{i=1}^{n} \{(a-d) + id\}$$

$$= (a-d)\sum_{i=1}^{n} 1 + d\sum_{i=1}^{n} i = n(a-d) + d\frac{n(n+1)}{2}$$

$$= na + \frac{d}{2}\{n(n+1) - 2n\} = na + \frac{n(n-1)}{2}d$$

●等比数列の和の計算

等比数列の和（等比級数）の計算は、統計・確率の世界ではよく用いられます。計算過程も計算結果もよく登場します。まず一般項は次のように表されます。

$$\begin{cases} x_n = r \cdot x_{n-1} \\ x_1 = a \end{cases}$$

$$x_2 = ra, \quad x_3 = r^2 a, \cdots x_n = r^{n-1} a$$

この合計を求めるには、若干のテクニックを利用します。まず、定数aを除いた s_n を定義して計算を簡単にし、その計算をするために $rs_n - s_n$ を計算します。s_n は n→∞ では $1/(1-r)$ という非常に簡単な形に収束します。

$$S_n = \sum_{i=1}^{n} x_i = \sum_{i=1}^{n} r^{i-1} a = a\sum_{i=1}^{n} r^{i-1}$$

$$s_n \equiv \sum_{i=1}^{n} r^{i-1} = 1 + r + r^2 + \cdots + r^{n-1}$$

$$rs_n = r\sum_{i=1}^{n} r^{i-1} = r + r^2 + \cdots + r^n$$

$$s_n - rs_n = s_n(1-r) = 1 - r^n \qquad s_n = \frac{1-r^n}{1-r} \xrightarrow[n \to \infty]{0 < r < 1} \frac{1}{1-r}$$

$$S_n = \frac{a(1-r^n)}{1-r} \xrightarrow[n \to \infty]{0 < r < 1} \frac{a}{1-r}$$

■ 相加平均・相乗平均と数列・級数（補足）

●平均と分散の計算

数列はふつう、記号の右下に「添え字」といって数字を付けて表します。

数列の集合 $X = \{x_i; i = 1, 2, \cdots, n\}$

数列の合計 $S_n = x_1 + x_2 + \cdots + x_n \equiv \sum_{i=1}^{n} x_i$

数列の平均 $\bar{x} = \dfrac{x_1 + x_2 + \cdots + x_n}{n} = \dfrac{1}{n}\sum_{i=1}^{n} x_i \equiv \mu$

平均を表すには一般的に「$\bar{x}$」という表記を使いますが、確率・統計の分野でこれを1つの文字で表す場合は「μ」（ミュー）という記号を使います。なお、数列と平均との差（偏差と呼びます）の合計は0になります。これも重要な関係式です。

$$\sum_{i=1}^{n}(x_i - \mu) = \sum_{i=1}^{n} x_i - \mu \sum_{i=1}^{n} 1 = n\mu - n\mu = 0$$

データのバラツキを評価するには「偏差の平方の和」を評価します。平方するとバラツキの正負が相殺され、バラツキを評価するのに適します。この場合、偏差の平方平均値を分散と呼び、これを「σ^2」（シグマの2乗）と表記します。分散の平方根は元のデータと同じ次元のデータになるので「標準偏差」（σ）で表します。

$$\sigma^2 = \frac{(x_1 - \mu)^2 + (x_2 - \mu)^2 + \cdots + (x_n - \mu)^2}{n} = \frac{1}{n}\sum_{i=1}^{n}(x_i - \mu)^2$$

この結果、数列と平均との差の2乗の合計は分散のn倍になります。

$$\sum_{i=1}^{n}(x_i - \mu)^2 = n\sigma^2$$

●等差数列の和の計算

簡単な数列の例、あるいは総和記号「Σ」（シグマ）の計算例として、等差数列と等比数列の計算の例を示します（数列の和は級数といいます）。等差数列とは、互いの項の差が一定の数列のことで、次のように表します。

$$\begin{cases} x_n - x_{n-1} = d \\ x_1 = a \end{cases}$$

$x_2 = a + d, \quad x_3 = x_2 + d = a + 2d, \cdots x_n = a + (n-1)d$

左頁に示す例のように、身長の分布が1つのピークを持った山にならない場合は、平均値が無意味かもしれません。

中学生・高校生の身長や体重は性別で大きな差があるので、男女別に平均値を求めてその特徴を比較すべきです。学年内での比較や全国データとの比較、あるいは経年変化の比較には、男女を分けなければ意味がないのです。試験の成績の場合も同じです。問題が違うとその難易度も変わってきます。偏差値（P36参照）も試験の問題ごとに異なるので、異なる偏差値の試験の点数の平均値はまったく無意味です。

この点がビジネスで顕著に表れる例は「日ごとの平均売上」「月ごとの平均売上」です。たとえば「日ごとの平均売上」の全営業日平均を計算して、これに対する大小を比較してある日の売上を分析することはよく行われますが、土日も営業している場合には、「いっしょくた」に平均値を求めても無意味です。最低限、月〜金と土日の平均値は区別する必要があります。

また「月ごとの平均売上」にも「売上の経年変化」というものがあり、全月同じ平均値を使って比較できない場合もあり、そのために「前年同月比」というものが比較されます。ビジネスによっては、売上高が月によって変化するからです。

■ 男子生徒・女子生徒の身長の分布

測定値のヒストグラムと測定値の平均を1つのグラフに示しました。

●男子
(平均：
169.9cm)

身長の分布のピークは、必ずしも平均と一致するとは限りません。

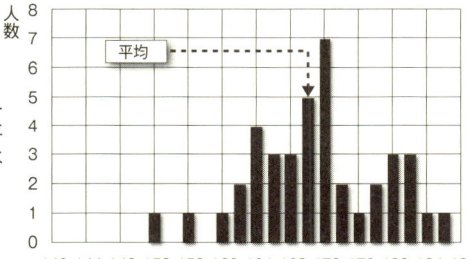

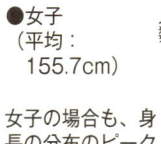

●女子
(平均：
155.7cm)

女子の場合も、身長の分布のピークは平均とは一致しません。

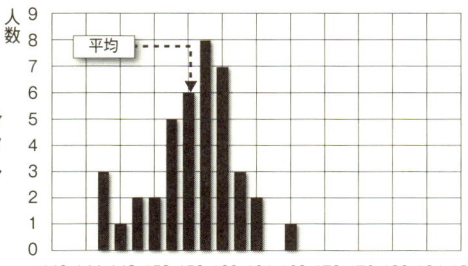

●男子＋女子
(平均：
162.8cm)

男女を区別しないと、右図のように複数のピークが現れることになります。この平均は無意味です。

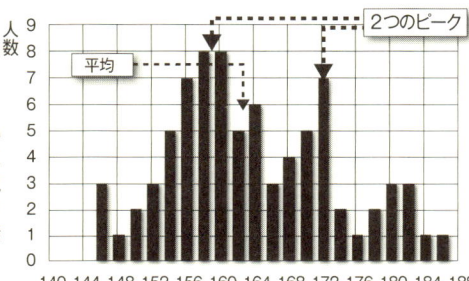

3 いろいろな平均はどう使う?

●相乗平均は変化率の平均

相乗平均は、相加平均のように和をデータの個数で割るのではなく、積のn乗根(nはデータの個数)を求めるものです。

この平均は、比率の平均値、たとえば物価上昇率の平均前年比やGDPの平均前年比などを求めるために利用します。この比率を利用すると「ここ数年の平均上昇比率」を求めることができます。

●調和平均は平均速度の算出に利用する

「20 kmの区間を、行きは自転車に乗って平均

■ 相乗平均の使い方

年度	単位:兆円	前年比	実質GDP上昇率	前年比5年平均
2005年	537			
2006年	548	102.0%	2.04%	
2007年	561	102.4%	2.36%	
2008年	554	98.8%	-1.17%	
2009年	519	93.7%	-6.28%	
2010年	540	104.0%	3.96%	100.1%
2011年	537	99.5%	-0.47%	99.6%

GDP前年比 = 当年GDP／前年GDP　　　　　(537/540=99.5%)
実質GDP上昇率 = GDP前年比-1　　　　　　(99.5%-1=0.47%)
前年比5年平均 = 当年含めて5年分の前年比の5乗根 (白字の数字の積の5乗根=99.6%)

時速20kmで、帰りは徒歩で平均時速5kmで往復しました。往復の平均時速は何kmでしょうか?」こんな問題がよく例として取り上げられます。この場合、全部で40kmの区間を5時間で往復したので、時速は8kmとなりますが、これを分数で表現すると(下段コラム内最下段の式参照)、これは調和平均に他なりません。

まあ、これ以外にはあまり用途は見当たりませんが、数学としてはおもしろい題材です。

2つの数とその調和平均の合わせて3つの数は「調和数列」を構成します。

弦を弾いて音を出すことを考えると、弦の長さが半分になると音程は1オクターブ上がります。この場合、最初の弦の長さを3：6とした場合のそれらの調和平均の値は4とな

■ 調和平均の使い方

$$\begin{cases} \text{データ：} \quad x_i \; (i=1,2,\cdots,n) \\ \text{調和平均：} \quad \dfrac{1}{\mu_H} = \dfrac{1}{n}\sum_{i=1}^{n}\dfrac{1}{x_n} = \dfrac{1}{n}\left(\dfrac{1}{x_1}+\dfrac{1}{x_2}+\cdots+\dfrac{1}{x_n}\right) \end{cases}$$

$n=2：\quad \dfrac{1}{\mu_H} = \dfrac{1}{2}\left(\dfrac{1}{x_1}+\dfrac{1}{x_2}\right), \quad \mu_H = \dfrac{2x_1x_2}{x_1+x_2}$

$n=3：\quad \dfrac{1}{\mu_H} = \dfrac{1}{3}\left(\dfrac{1}{x_1}+\dfrac{1}{x_2}+\dfrac{1}{x_3}\right), \quad \mu_H = \dfrac{3x_1x_2x_3}{x_1x_2+x_2x_3+x_3x_1}$

$\dfrac{40}{\dfrac{20}{20}+\dfrac{20}{5}} = v = 8 \Leftrightarrow \dfrac{40}{v} = \dfrac{20}{20}+\dfrac{20}{5} \Leftrightarrow \dfrac{1}{\left(\dfrac{v}{5}\right)} = \dfrac{1}{2}\left(\dfrac{1}{4}+\dfrac{1}{1}\right)$
（調和平均の式）

り、弦の長さは3：4：6となります。この際の音程は、最初の2つの弦が発する音を「ド」とすると、長さ4の弦の発する音は「ソ」（完全5度上）となります。

● スポーツ競技の評価点は中間項平均

中間項平均とは、真の平均値を求めるためには不要なデータを省いて求めた平均値です。たとえば平均収入を計算する場合に、集団の中にとびぬけた大富豪が含まれる場合は、平均収入が大きく動いてしまいます。このようなことを避けるために、特異なデータを除くのが中間項平均の考え方です。

また、体操・新体操の得点やスキーのジャンプ競技の飛型点は、数人（5人前後）の審判員が評価し、その中の最高点・最低点を除いた評価点の平均点（体操・新体操）や合計点（ジャンプ競技）が採用されます。これが中間項平均の考え方です。

● 加重平均‥すべてのデータに重みをかけて合計し重みの合計で割ったもの

値を単純に平均するのではなく、値ごとに重みを加えて平均することによって、必要なデータを求める方法であり、商品の平均価格や1人あたりの平均売上高などの算

出などに利用します。

商品の平均価格は、商品価格に販売数量を重みとした加重平均、顧客1人あたりの平均売上高は1人あたりの売上高に顧客人数を重みとした加重平均です。

下段コラムに、加重平均の一般的な形と、平均商品価格の計算例を示します。

統計・確率の世界においては、確率変数と確率の積の和である「期待値」がその代表選手です。この場合には、確率の合計値は1なので、重みの合計が1となり、したがって重みの合計で割る必要がありません。

■ 加重平均の使い方

$$\begin{cases} \text{データ：} \quad x_i(i=1,2,\cdots,n) \\ \text{重み：} \quad w_i(i=1,2,\cdots,n) \\ \text{加重平均：} \quad \mu_W = \dfrac{w_1 x_1 + \cdots + w_n x_n}{w_1 + \cdots + w_n} = \dfrac{\sum_{i=1}^{n} w_i x_i}{\sum_{i=1}^{n} w_i} \end{cases}$$

- 平均商品価格： （データ、重み）＝（商品単価、販売個数）
- 1人あたり売上： （データ、重み）＝（売上高、人数）
- 期待値： （データ、重み）＝（確率変数、確率）

右表に、平均商品価格の計算例を示します。商品単価の平均を求める際に、販売個数を重みとして合計し、販売個数の合計で割って、660円を得ます。期待値の場合は、重みの合計が1になっています。

	商品単価	販売個数	売上高
カレーライス	500	500	250,000
かつ丼	700	300	210,000
うな重	1000	200	200,000
平均商品価格	660	1,000	660,000

4 分散や標準偏差はどう使う?

●分散や標準偏差は2次の代表値

まず「代表値」を解説します。これは「データの集まりの特徴を表す数値」です。これらは、数値の「次数」で分類されます。前節で述べた「平均」は2乗しない1次のままで「1次の代表値」であり、他に「最頻値」(モード)や「中央値」(メジアン)も1次の代表値です。1次の代表値は、データの「位置」に関する情報を与えます。

これに対して次に解説する「分散」や「標準偏差」は、データと平均との差の「2乗」の値をもとに決まるもので、これらは「2次の代表値」と呼ばれます。「分散」はデータと平均値との差の「2乗」の平均、「標準偏差」はその平方根です。記号で表す場合には、標準偏差を「σ」(シグマ)、分散を「σ^2」(シグマ2乗)で表します。同様に平均は「μ」(ミュー)で表します。

負の数も2乗すると正になるので、値が大きい方に外れている(データ−平均∨0)かか小さい方に外れている(データ−平均∧0)かは区別できなくなり、2次の代表

■ 代表値一覧

次数	種類	代表値		内容
1次	位置を表す	最大値		もっとも大きな値
		最小値		もっとも小さな値
		最頻値（モード）		値の数が最も多い値
		中央値（メジアン）		値を大小の順に並べた場合に中央にくる値 （個数が偶数の場合は中心の2値の平均）
		平均	相加平均	値を合計して値の個数で割った値
			相乗平均	値の積のn乗根（n：値の個数）
			調和平均	値の逆数の平均の逆数
			中間項平均	特異値を除いた値の平均
			加重平均	重みをかけて合計した値を重みの合計で割ったもの
2次	バラツキを表す	偏差	平均偏差	値と平均の差の絶対値の平均 $$\sigma_{AD} = \frac{1}{n}\sum_{i=1}^{n}|x_i - \mu| \quad \left[\mu = \frac{1}{n}\sum_{i=1}^{n}x_i\right]$$
			標準偏差	値と平均の差の平方の平均の平方根 $$\sigma = \sqrt{\frac{1}{n}\sum_{i=1}^{n}(x_i - \mu)^2} \quad \left[\mu = \frac{1}{n}\sum_{i=1}^{n}x_i\right]$$
			分散	値と平均の差の平方の平均 $$\sigma^2 = \frac{1}{n}\sum_{i=1}^{n}(x_i - \mu)^2 \quad \left[\mu = \frac{1}{n}\sum_{i=1}^{n}x_i\right]$$
3次	偏りを表す	歪度		値と平均の差の3乗の和から算出 $$SKEW = \frac{n}{(n-1)(n-2)}\sum_{i=1}^{n}\left(\frac{x_i - \mu}{\sigma}\right)^3$$
4次	集中度を表す	尖度		値と平均の差の4乗の和から算出 $$KURT = \frac{n(n+1)}{(n-1)(n-2)(n-3)}\sum_{i=1}^{n}\left(\frac{x_i - \mu}{\sigma}\right)^4 - \frac{3(n-1)^2}{(n-2)(n-3)}$$

値は、データが平均値のまわりにどれくらい集まっているか、あるいはどれくらいバラツキがあるのか、ということを表します（右図参照）。

さらに、「3次の代表値」「4次の代表値」というものもあります。3次の代表値「歪度」（わいど）は、データと平均値との差の「3乗」の値をもとにしたもので、値が正の方向か負の方向のどちらに外れているかがわかり、「データの偏り」を表すことになります。4次の代表値「尖度」（せんど）は、データと平均値との差の「4乗」の値をもとに決まり、平均との値の差が2乗の場合よりもさらに強調されるので、「データの平均値の近辺への集中の程度」を表します（右図参照）。ただし3次・4次の代表値に関す

■2次・3次・4次の代表値

2次の代表値:
偏差や分散から
わかること

バラツキが大きい　バラツキが小さい

3次の代表値:
歪度から
わかること

負の方向に偏っている　正の方向に偏っている

4次の代表値:
尖度から
わかること

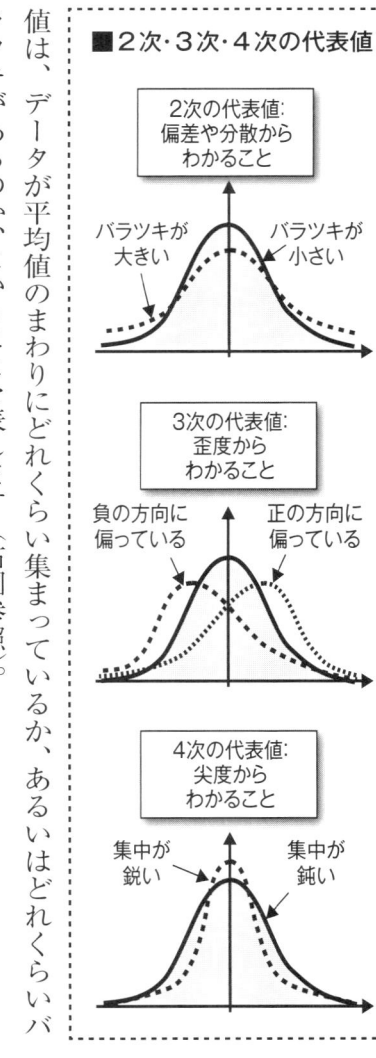

集中が鋭い　集中が鈍い

解説はここまでとします。当面重要で役に立つのは2次の代表値：分散と標準偏差までです。

次節では「正規分布」を解説しますが、これが非常に重要で便利な分布であり、これは「平均 μ と標準偏差 σ」の2つのパラメータだけで特徴づけられます。

● **分散や標準偏差には2種類ある**

表計算ソフトを使われる方々は、ここの事情にお困りかもしれません。表計算ソフトには2種類の分散・標準偏差があり、これらを使い分ける必要があります。

下段コラムに簡単にその説明をしておき、これらの違いについてはP100以降で再度解説します。

■ いろいろある標準偏差と分散

●標本標準偏差 STDEVP (EXCEL 2007) STDEV.P (EXCEL 2010) STandard DEViation of Population	与えられた標本の標準偏差を求めます（標本が母集団の場合はその標準偏差）。	$\sigma = \sqrt{\dfrac{1}{n}\sum_{i=1}^{n}(x_i - \mu)^2}$
●標本分散 VARP (EXCEL 2007) VAR.P (EXCEL 2010) VARiance of Population	与えられた標本の分散（標本分散）を求めます（標本が母集団の場合はその分散）。	$\sigma^2 = \dfrac{1}{n}\sum_{i=1}^{n}(x_i - \mu)^2$
●母集団の標準偏差の近似推定値 STDEV (EXCEL 2007) STDEV.S (EXCEL 2010) (STandard DEViation)	引数を標本とみなし、そのデータから母集団の標準偏差の推定値を求める（厳密には一致しない）。	$\sigma = \sqrt{\dfrac{1}{n-1}\sum_{i=1}^{n}(x_i - \mu)^2}$
●不偏標本分散（不偏分散） VAR (EXCEL 2007) VAR.S (EXCEL 2010) VARiance	引数を正規母集団の標本とみなし、そのデータから母集団の分散の推定値（不偏分散）を求める。	$\sigma^2 = \dfrac{1}{n-1}\sum_{i=1}^{n}(x_i - \mu)^2$

5 世の中でもっとも便利な確率分布は正規分布

●正規分布とはどんなもの

正規分布は、統計学のもっとも基本となる分布です。統計学は正規分布から始まって正規分布に終わるといっても過言ではないくらい、重要な分布です。分布とは「確率分布」の意味なのですが、当面は、さまざまな大きさのデータが、さまざまな頻度で発生している状況と思ってください。

まず、葉っぱの大きさ、人間の腕の長さ、身長などはすべて、おおむね正規分布に従うといわれています。観測誤差・計測誤差の大きさも正規分布に従います（左頁図参照）。データの数が大きくなれば、最終的にはどのようなものもすべて正規分布に近づきます。正規分布は究極の分布なのです。まとめると次のようになります。

○自然現象・社会現象の中に現れるバラツキの多くは正規分布に従う
○さまざまな誤差の大きさのバラツキも正規分布に従う
○データの数が大きくなれば、その値のバラツキも正規分布に従う

■ さまざまな正規分布の例

●葉っぱの大きさ

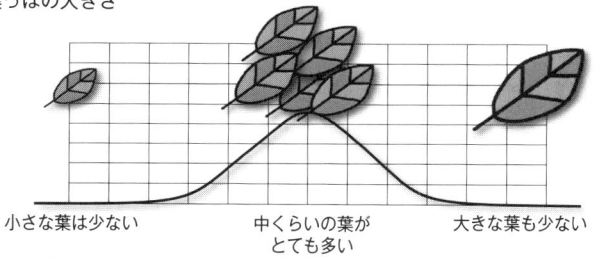

小さな葉は少ない　　　中くらいの葉が　　　大きな葉も少ない
　　　　　　　　　　とても多い

●男子の身長

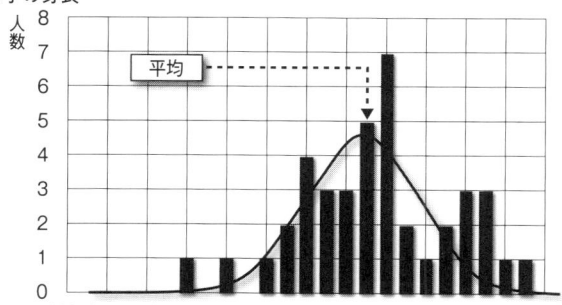

P.21 に示した男子の身長のヒストグラムは、あまり釣鐘型の正規分布には似ていないように見えますが、これはデータ数が少ないためです。

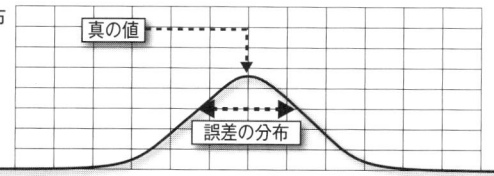

●誤差の分布

計測誤差も観測誤差も、真の値のまわりに分布します。誤差が大きい計測値・観測値は少なく、小さな誤差の計測値・観測値は数多く現れます。

31　第1章　統計・確率はどう使う？（正規分布までの近道）

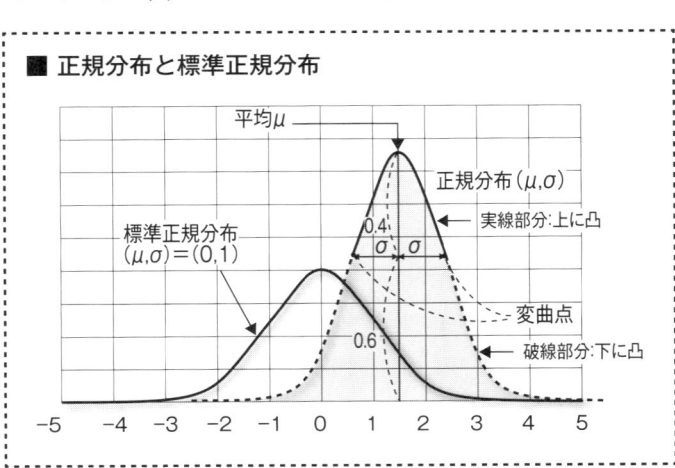

●正規分布の形は釣鐘型

正規分布は、下図に示すようにある値のまわりに、左右対称に、ある程度の広がりを持って分布するものです。この形は「釣鐘型」と呼ばれます。この中心の値が「平均」(μ) であり、「広がり」は「標準偏差」(σ) で表されます。正規分布は、

○無限遠では0になり、
○頂点座標で左右対称であって、
○全区間の面積合計は1になる、

という条件を満たすものの中では極めて簡単なものの1つです。正規分布は、真面目に取り組むと数学Ⅲの中でもほとんどあつかわない曲線なのですが、統計・確率ではそのよ

■ 正規分布と標準正規分布

■ さまざまな平均μと標準偏差σの正規分布

正規分布は、右頁で述べた3つの条件を満たしている上に、「平均」（μ）では最大値をとり、高さがおおよそ6割で「広がり」をはかると、これが「標準偏差」（σ）に当たります。数式としては難しそうですが、右頁で示した性質を持つ曲線としては極めて平易なものなのです。

$$f(x) = \frac{1}{\sqrt{2\pi}\sigma} \exp\left(-\frac{(x-\mu)^2}{2\sigma^2}\right)$$

$$\begin{cases} \xrightarrow{x=\mu} \exp(0) = 1 \to f(\mu) = \frac{1}{\sqrt{2\pi}\sigma}\exp(0) = \frac{1}{\sqrt{2\pi}\sigma} & \text{平均値}\mu\text{で最大値、} \\ \xrightarrow{x\neq\mu} \exp(0) < 1 \to f(x) < f(\mu) & \text{それ以外の値では最大値より小さい} \end{cases}$$

ということは、平均μが変わると、そのグラフは左右に移動し、標準偏差σが変動すると広がりが下図に示すように変動します。

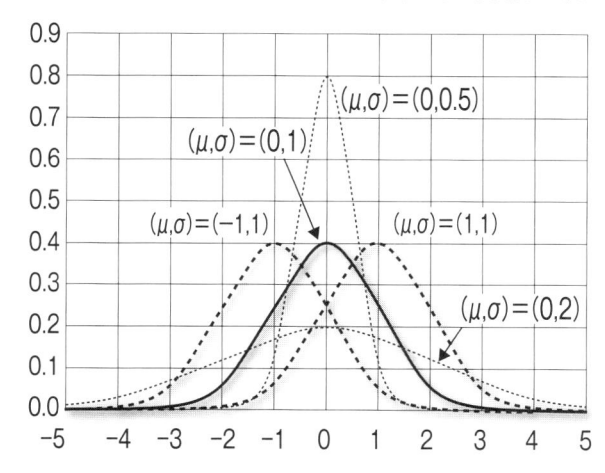

理科系の方々は変曲点座標を知りたいと思われるので、ここで変曲点のx座標（$\mu \pm \sigma$）を確認しておきます。変曲点は平均値の左右σの位置にあり、高さは頂点のほぼ6割です。

うな部分は不要であり、大まかな形とパラメータの変化によるグラフの形の変化だけを理解してください。この図から、正規分布で平均と標準偏差をいろいろ変えたものを前頁コラムに示します。この図から、平均を変えるとグラフは左右に動き、標準偏差を変えるとバラツキの程度が変わる、ということがよくわかると思います。正規分布は、ただ2つのパラメータ「平均」と「標準偏差」だけで決定されます。

● さまざまな正規分布の形

平均を0に、標準偏差を1に設定した正規分布は特に「標準正規分布」と呼ばれます。前頁コラムの図では、標準正規分布（平均＝0、標準偏差＝1）を太い実線で示しました。

正規分布で重要なのは「どこからどこまでで何割か」ということであり、これは標準正規分布に換算した方が簡単です。正規分布に従うデータは、左頁に示す「標準化」というしくみを使って変数変換して、標準正規分布に変換することができます。この変換は、すべてのデータから「平均値を差し引き、標準偏差で割る」という簡単なものです。試験成績の評価に用いられる「偏差値」は標準化を発展させた計算値です。

34

■ 標準正規分布への変換（標準化）

P.33 では、平均 μ の変化や標準偏差 σ の変化でいろいろなグラフが現れることを示しましたが、ここではもう一歩踏み込んで、次の形による変数変換を考えます。

$$f(x) = \frac{1}{\sqrt{2\pi}\sigma} \exp\left(-\frac{(x-\mu)^2}{2\sigma^2}\right) \xrightarrow[\sigma=1]{\mu=0} f(x) = \frac{1}{\sqrt{2\pi}} \exp\left(-\frac{x^2}{2}\right)$$

$$Z = \frac{x-\mu}{\sigma} \Rightarrow -\frac{(x-\mu)^2}{2\sigma^2} = -\frac{1}{2}\cdot\left(\frac{x-\mu}{\sigma}\right)^2 = -\frac{1}{2}Z^2$$

上の図に示すように、変数を変換すると指数関数部分（exp の内側）が非常に簡単になります。実際には先頭の係数が若干変わりますが、上の関係を利用して下図に示すような「標準化」が行われます。

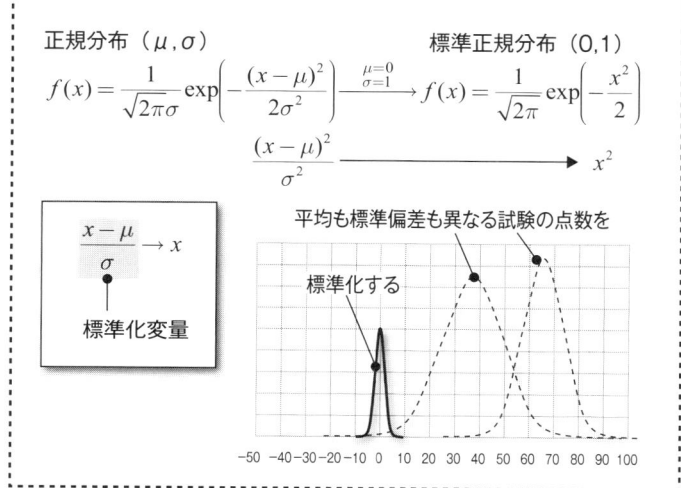

正規分布 (μ, σ)　　　　　　　　　　　標準正規分布 $(0, 1)$

$$f(x) = \frac{1}{\sqrt{2\pi}\sigma} \exp\left(-\frac{(x-\mu)^2}{2\sigma^2}\right) \xrightarrow[\sigma=1]{\mu=0} f(x) = \frac{1}{\sqrt{2\pi}} \exp\left(-\frac{x^2}{2}\right)$$

$$\frac{(x-\mu)^2}{\sigma^2} \longrightarrow x^2$$

$\dfrac{x-\mu}{\sigma} \to x$

標準化変量

平均も標準偏差も異なる試験の点数を標準化する

第1章　統計・確率はどう使う？（正規分布までの近道）

6 正規分布のもっとも身近な応用例は「偏差値」

● 偏差値の役割とは？

正規分布のもっとも簡単でもっとも身近な例は、試験の点数の「偏差値」です。これは、受験生の点数が全受験者の中でどれくらいの位置にいるかを表すものです。たとえば「平均点が50点の試験の60点」と「平均点が60点の試験の70点」ではどちらが優れているのか、ということを調べるには、偏差値を比較します。さてどうしてでしょうか。

試験の点数は、受験生の数が十分大きければ、正規分布に従って分布する、というのが出発点です。そしてその正規分布は「平均μと標準偏差σ」で決定されます。そうすると、「平均点が50点の試験の60点」の場合の「60点が平均点50点よりどれくらい（標準偏差の何倍）大きいか」という数値と、「平均点が60点の試験の70点」の場合の「70点が平均点60点よりどれくらい（標準偏差の何倍）大きいか」という数値を比較すればよいわけです。

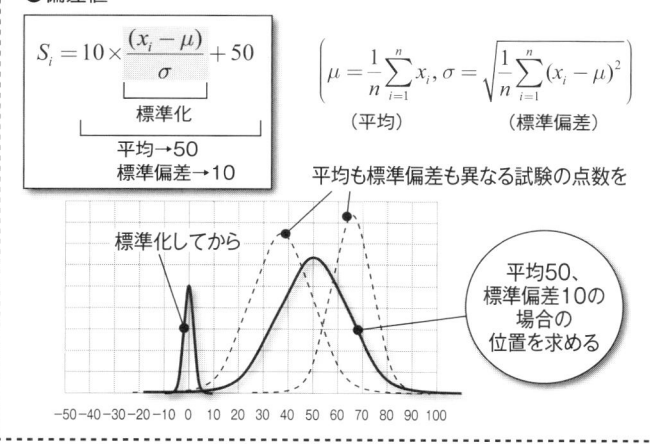

● 偏差値は標準化の発展形

偏差値は、正規分布を標準化した上で、平均値が50、標準偏差が10となるように試験の点数を変換したものです。

前節で述べたように、正規分布を標準化すると、平均=0、標準偏差=1の標準正規分布が得られますが、さらに使いやすくするために、標準化を行った上で「10倍して50を加える」と、平均値=50、標準偏差=10の正規分布が得られます。これが偏差値です。

偏差値を求めるということは、「同じ標準偏差の正規分布における位置を求める」ことになります。

■ 標準化と偏差値

● 偏差値

$$S_i = 10 \times \underbrace{\frac{(x_i - \mu)}{\sigma}}_{\text{標準化}} + 50$$

平均→50
標準偏差→10

$$\left(\mu = \frac{1}{n}\sum_{i=1}^{n} x_i,\ \sigma = \sqrt{\frac{1}{n}\sum_{i=1}^{n}(x_i - \mu)^2} \right)$$

（平均）　　　　（標準偏差）

平均も標準偏差も異なる試験の点数を

標準化してから

平均50、標準偏差10の場合の位置を求める

-50 -40 -30 -20 -10　0　10 20 30 40 50 60 70 80 90 100

7 試験の点数の実際の処理

●生のデータは試験の点数

本稿では、第4節から第6節で述べた理論に対する実際の計算過程を解説します。

本来データ数は多い方が正規分布に近くなるのですが、そうすると個々の計算内容の確認が大変になるので、データ数は20で計算します。つまり20人しか受験者がいない、仮想の試験A、Bにおける得点を比較評価します。

まず2つの試験の受験者の得点を、左頁の表のもっとも左端の列に示します。上段の表が試験Aの結果、下段の表が試験Bの結果です。平均との差を取って2乗し、合計して（平

■ 試験Aと試験Bの結果の比較

方和)、データの個数で割り(分散)、その平方根を求めると、これが標準偏差です。

●試験ごとに平均と標準偏差は異なる

試験Aの平均は50点、標準偏差は19.3、試験Bの平均は60点、標準偏差は13.6です。この2つの試験の結果をまずヒストグラムで表示します(右頁図参照)。これで、分布の違いを確認してください。平均は試験Aより試験Bの方が大きく、標準偏差は

■ 2つの試験の試験結果

試験A	点数	平均点	差	差の2乗	偏差値
1	60.0	50.0	10.0	100	55.2
2	33.0	50.0	−17.0	289	41.2
3	55.0	50.0	5.0	25	52.6
4	45.0	50.0	−5.0	25	47.4
5	85.0	50.0	35.0	1,225	68.1
6	54.0	50.0	4.0	16	52.1
7	46.0	50.0	−4.0	16	47.9
8	53.0	50.0	3.0	9	51.6
9	65.0	50.0	15.0	225	57.8
10	23.0	50.0	−27.0	729	36.0
11	16.0	50.0	−34.0	1,156	32.4
12	51.0	50.0	1.0	1	50.5
13	62.0	50.0	12.0	144	56.2
14	37.0	50.0	−13.0	169	43.3
15	77.0	50.0	27.0	729	64.0
16	51.0	50.0	1.0	1	50.5
17	67.0	50.0	17.0	289	58.8
18	37.0	50.0	−13.0	169	43.3
19	10.0	50.0	−40.0	1,600	29.3
20	73.0	50.0	23.0	529	61.9
最大値	85.0		平方和	7,446	
最小値	10.0		分散	372.3	
個数	20.0		標準偏差	19.3	
平均	50.0				

試験B	点数	平均点	差	差の2乗	偏差値
1	70.0	60.0	10.1	101	57.4
2	75.0	60.0	15.1	227	61.1
3	49.0	60.0	−11.0	120	41.9
4	48.0	60.0	−12.0	143	41.2
5	48.0	60.0	−12.0	143	41.2
6	65.0	60.0	5.1	26	53.7
7	75.0	60.0	15.1	227	61.1
8	41.0	60.0	−19.0	359	36.1
9	54.0	60.0	−6.0	35	45.6
10	45.0	60.0	−15.0	224	39.0
11	32.0	60.0	−28.0	781	29.4
12	48.0	60.0	−12.0	143	41.2
13	59.0	60.0	−1.0	1	49.3
14	75.0	60.0	15.1	227	61.1
15	73.0	60.0	13.1	170	59.6
16	70.0	60.0	10.1	101	57.4
17	66.0	60.0	6.1	37	54.5
18	59.0	60.0	−1.0	1	49.3
19	85.0	60.0	25.1	628	68.4
20	62.0	60.0	2.1	4	51.5
最大値	85.0		平方和	3,695	
最小値	32.0		分散	184.7	
個数	20.0		標準偏差	13.6	
平均	60.0				

39　第1章　統計・確率はどう使う?(正規分布までの近道)

試験Aより試験Bの方が小さいことはわかると思います。

これまでの計算で得られた平均と標準偏差から描いた正規分布のグラフを下段に示します。P38のヒストグラムとは若干形状が違うようにも見えますが、それはデータの数（受験者数）が少ないからです。

そしてこの正規分布のグラフでも、試験Aより試験Bの方が平均が大きく、試験Aより試験Bの方が標準偏差が小さいことは確認できます。

● **異なる試験での成績を偏差値で比較する**

さてここで、両方の試験で試験番号1番の受験生の成績を比較します。試験Aでは平均

■ 試験Aと試験Bの比較

	平均	標準偏差
試験A	50.0	19.3
試験B	60.0	13.6

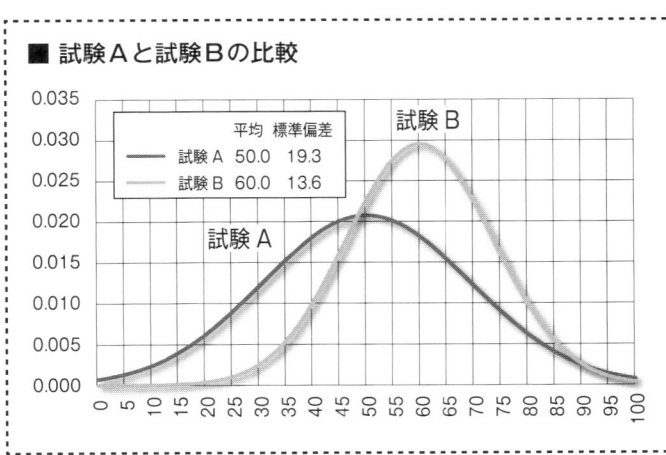

点より10点高い60点であり、試験Bでも平均点より10点高い70点でした。どちらの方が成績がよいのでしょうか。試験Aでの偏差値は55・2であり、試験Bでの偏差値は57・4でした。これは試験Bでの成績の方が優れていることを示しています。これは両方の試験の標準偏差の違いによります（左コラム参照）。

■ 得点＝平均＋10の場合の標準偏差と偏差値の関係

$$\begin{cases} S_A = 10 \times \dfrac{(60-50)}{\sigma_A} + 50 \\ S_B = 10 \times \dfrac{(70-60)}{\sigma_B} + 50 \end{cases}$$

$$\Rightarrow \frac{S_A - 50}{S_B - 50} = \frac{\sigma_B}{\sigma_A}$$

$$\Rightarrow \sigma_B < \sigma_A \rightarrow S_A < S_B$$

試験Aより試験Bの方が標準偏差が小さい、つまりバラツキが小さいことがキーポイントです。

上の関係に示すように、平均点より10点高い得点の場合、標準偏差が小さい方が成績が良いことになります。

■ 試験Aと試験Bにおける偏差値の比較

60点（偏差値55.2）　試験B　70点（偏差値57.4）
試験A

41　第1章　統計・確率はどう使う？（正規分布までの近道）

8 ゴルフに正規分布を適用するとどうなるか？

●ゴルフボールの飛び方もおおよそ正規分布

ゴルフボールの飛び方も、おおまかにいえば正規分布に従います。ゴルフでは、その場その場で次にボールを落とす場所を狙ってショットしますが、その位置はフォームのブレなどから生じる誤差によってばらつきます。なお、本節は高校数学の三角関数が必須なので、その誤差が正規分布するというわけです。興味のない方は読み飛ばして次節に進んでください。

まず、ゴルフボールの軌跡を放物線であると仮定します（これはディンプルがない場合に対応します）。そしてその軌跡が飛び出し時の迎角 θ と水平角 φ で決まると考えると、迎角 θ は狙った角度 θ_0 からの誤差 δ が、水平角は φ が非常に小さい角度なので、その sin は角度で、その cos は 1 で近似できます。この計算を推し進めると、飛距離方向である x 方向の誤差と、横方向である z 方向の誤差は、左頁右下隅に示したように、それぞれ迎角の誤差 δ と水平角の誤差 φ の定数倍で表されます。

■ ゴルフボールの軌跡

● ゴルフボールの初速の分解

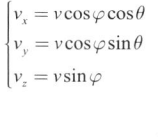

$$\begin{cases} v_x = v\cos\varphi\cos\theta \\ v_y = v\cos\varphi\sin\theta \\ v_z = v\sin\varphi \end{cases}$$

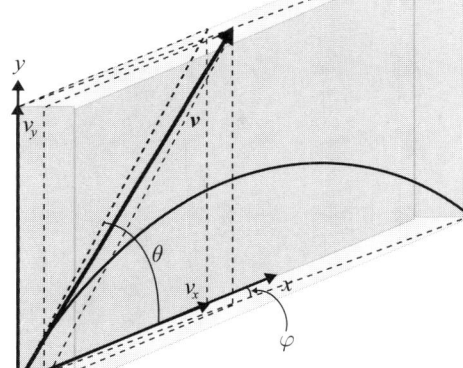

● ゴルフボールの軌跡

$$\begin{cases} x = v_x t \\ y = v_y t - \frac{1}{2}gt^2 = 0 \Rightarrow t = \frac{2v_y}{g} \\ z = v_z t \end{cases}$$

$\varphi \ll 1$
$\Rightarrow \begin{cases} \cos\varphi \approx 1 \Rightarrow \\ \sin\varphi \approx \varphi \end{cases}$
$\begin{cases} x = v_x t = \dfrac{2v_x v_y}{g} = \dfrac{2v^2}{g}\cos^2\varphi\sin\theta\cos\theta \approx \dfrac{v^2}{g}\cdot 2\sin\theta\cos\theta \\ z = v_z t = \dfrac{2v_y v_z}{g} = \dfrac{2v^2}{g}\sin\varphi\cos\varphi\sin\theta \approx \dfrac{v^2}{g}\cdot 2\varphi\sin\theta \end{cases}$

$\theta = \theta_0 + \delta, \delta \ll 1 \Rightarrow \cos\delta \approx 1, \sin\delta \approx \delta$

$2\sin\theta\cos\theta = \sin 2\theta \approx \sin 2\theta_0 + 2\delta\cos 2\theta_0$

$x \approx \dfrac{v^2}{g}\left(\sin 2\theta_0 + 2\delta\cos 2\theta_0\right) = \dfrac{v^2}{g}\sin 2\theta_0 + \left(\dfrac{2v^2}{g}\cos 2\theta_0\right)\cdot\delta, \quad \Delta x \approx \dfrac{2v^2}{g}\cdot\delta\cos 2\theta_0$

$\sin\theta = \sin(\theta_0 + \delta) \approx \sin\theta_0 + \delta\cos\theta_0$

$z \approx \left(\dfrac{v^2}{g}\cdot 2\varphi\right)\left(\sin\theta_0 + \delta\cos\theta_0\right)$
$= \left(\dfrac{v^2}{g}\cdot 2\varphi\right)\sin\theta_0 + \left(\dfrac{2v^2}{g}\cos\theta_0\right)\cdot\varphi\cdot\delta$

以上を整理すると、着地点の誤差は右のようになります。その形状は P.45 の図参照。

$\begin{cases} \Delta x \approx \dfrac{2v^2}{g}\cdot\delta\cos 2\theta_0 \\ \Delta z \approx \dfrac{2v^2}{g}\cdot\delta\cos\theta_0\cdot\varphi \end{cases}$

●ゴルフボールの着地点は楕円形

ドライビングコンテストの場合にはランの距離も考えるのでしょうが、ここでは着地点の位置だけを考えます。前頁の計算からわかるとおり、横方向の着地点誤差は縦方向の着地点誤差より、2つの三角関数の比と角度誤差（φ）の分だけ小さくなります。

その結果、着地点は左頁上段図のような縦長の楕円形の範囲ということになります。

●実際のゴルフコースではどうなる？

今までの検討結果を、実際のコースレイアウトに当てはめてみましょう。左頁に示したのは名門中の名門、名古屋ゴルフ倶楽部の和合（わごう）コースの名物16番ホールです。このホールでは、ふつうのプレイヤーは地道に花道をたどっていきますが、プロ選手がグリーンを直接狙う、林越えの第2打が胸を躍らせてくれます。

図には250yd地点で25ydと50ydの同心（楕）円を、その半分の距離にはその半分の大きさの同心（楕）円を描いてあります。誤差は飛距離に比例して大きくなります。このような着地点を頭に描いてショットを打つと、少しはスコアがよくなるでしょうか。

44

■ 着地点の誤差

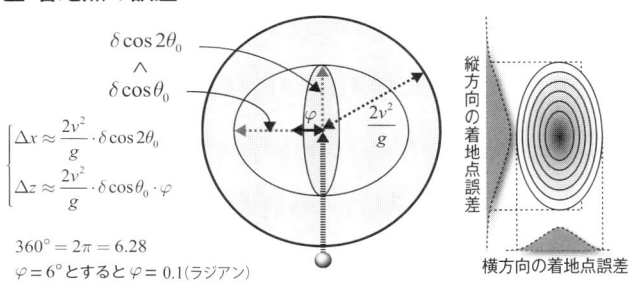

$$\begin{cases} \Delta x \approx \dfrac{2v^2}{g} \cdot \delta \cos 2\theta_0 \\ \Delta z \approx \dfrac{2v^2}{g} \cdot \delta \cos \theta_0 \cdot \varphi \end{cases}$$

$360° = 2\pi = 6.28$
$\varphi = 6°$ とすると $\varphi = 0.1$(ラジアン)

図中: $\delta \cos 2\theta_0$, $\delta \cos \theta_0$, $\dfrac{2v^2}{g}$, 縦方向の着地点誤差, 横方向の着地点誤差

■ 実際のゴルフコースではどうなるか

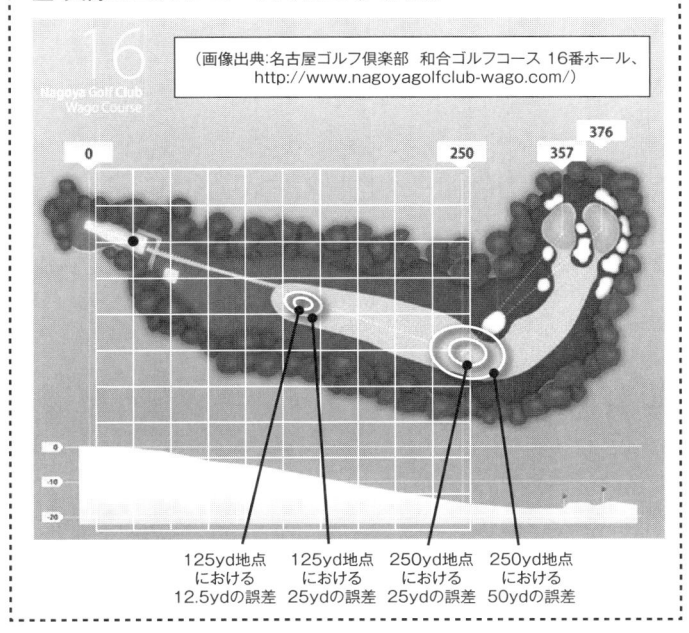

(画像出典:名古屋ゴルフ倶楽部 和合ゴルフコース 16番ホール、http://www.nagoyagolfclub-wago.com/)

125yd地点における12.5ydの誤差　125yd地点における25ydの誤差　250yd地点における25ydの誤差　250yd地点における50ydの誤差

45　第1章　統計・確率はどう使う？（正規分布までの近道）

9 ホールインワンを正規分布で考える

●正規分布を輪切りにする

正規分布は、左頁の図に示すように、標準偏差σの倍数で縦に分けることができます。そして、平均値の両側σの範囲の割合が68・3％、両側2σの範囲の割合が95・4％、両側3σの範囲の割合が99・7％となります。

●ショットを一定の範囲に打てるプレイヤーのホールインワンの確率

左頁の図は標準偏差が5の場合です。まず1次元において、幅が両側5m（幅10m）の枠の中に入る確率は「平均値の両側σの範囲」にあたるので68・3％です。この場合、両側10m（幅20m）の枠の中に入る確率は「平均値の両側2σの範囲」にあたり、95・4％です。前節の場合とは異なり本節では、「静止点」を考えます。

これらをそれぞれ2乗すると、2次元平面上での確率が計算できます。本来カップホールはグリーン上の直径108mmの円筒状の穴ですが、これを簡単のために1辺

■ ゴルフボールの落下点

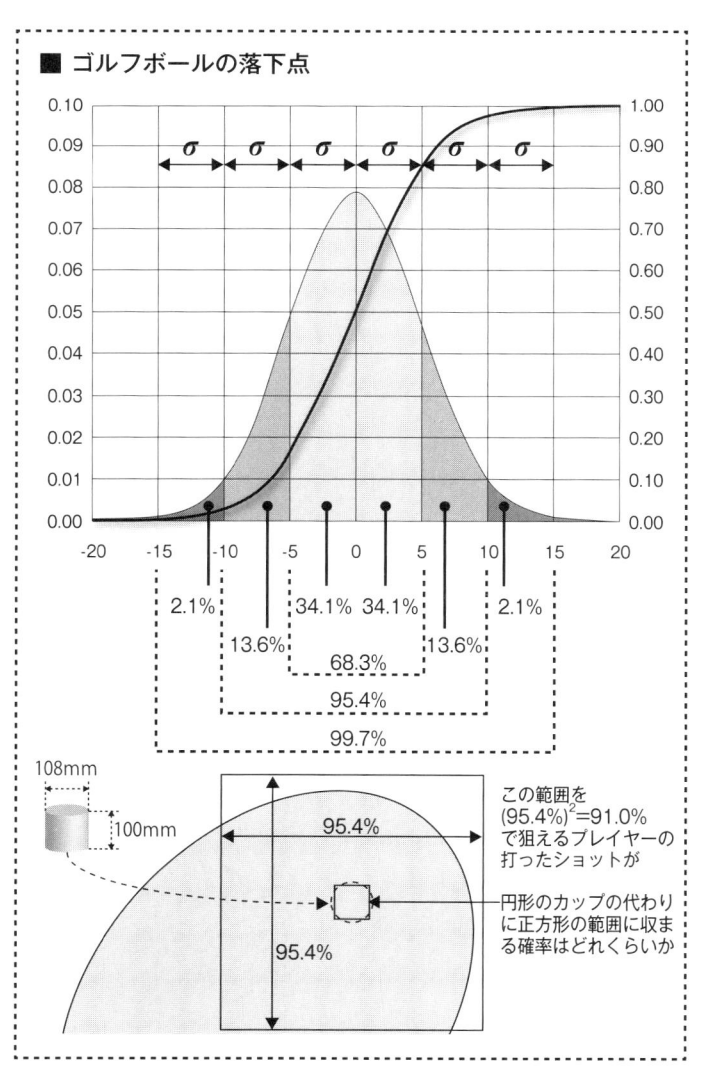

- 2.1%
- 13.6%
- 34.1%   34.1%
- 13.6%
- 2.1%
- 68.3%
- 95.4%
- 99.7%

108mm
100mm

95.4%
95.4%

この範囲を $(95.4\%)^2 = 91.0\%$ で狙えるプレイヤーの打ったショットが

円形のカップの代わりに正方形の範囲に収まる確率はどれくらいか

が100mmの正方形の穴で代替します。そうすると、幅が両側5m（幅10m）の正方形の中に入る確率は68・3％の2乗であり46・6％です。両側10m（幅20m）の正方形の中に入る確率は95・4％の2乗で約91％です。

これくらいの数値ならいかがでしょうか。あなたは幅10mの正方形の中に46・6％、あるいは幅20mの正方形の中に約91％の確率で打ち込めるでしょうか。これはホールインワンを考えているので、アマなら140～190yd、プロなら180～200ydのショートホールの場合です。そしてこの場合に、1辺が100mmの正方形の穴に入る確率を計算しようというわけです。

ティーショットは、ティーグラウンドで

■ 2種類の標準偏差とホールインワンの確率

	正規分布				確率		
		標準偏差	片側確率	両側確率	正方形の一辺の長さ	その範囲に収まる確率	
標準偏差	σ	5.0	0.341	0.683	10m	0.466	
	2σ	10.0	0.477	0954	20m	0.911	
	3σ	15.0	0.499	0.997	30m	0.995	
カップ	0.01σ	0.05	0.004	0.008	0.10m	0.000064	1/15,708
標準偏差	σ	2.5	0.341	0.683	5m	0.466	
	2σ	5.0	0.477	0954	10m	0.911	
	3σ	7.5	0.499	0.997	15m	0.995	
カップ	0.02σ	0.05	0.008	0.020	0.10m	0.000255	1/3,928

ティーアップして打つことができます。アマならこの程度が適当な精度かもしれません。右頁下段のコラムに、標準偏差が5mと2・5mの場合の確率を示しました。標準偏差5mの場合が「約1万6千分の1」、標準偏差2・5mの場合が「約4千分の1」でした。

● **実際のホールインワン確率は?**

ところで、実際のホールインワン確率はどれくらいなのでしょうか。「米国ゴルフレジスター」(United Staes Golf Register) という団体は、そのホームページで3万3千分の1という確率を公表しています。標準偏差5mの場合はこれと同じオーダーです。2010年に日本の男子ツアーでは24戦で11回、女子ツアーでは34戦で17回のホールインワンが達成されています。この確率は約4千分の1であり、これは標準偏差2・5mの場合と同じオーダーです。

■ 日本のプロゴルフトーナメントのホールインワンの確率

	2011年戦数	プレイヤー数 1R	2R	3R	4R	18ホール中のショートホール数	全ショートホール数	ホールインワンの数	ホールインワンの確率
男子	24	108	108	60	60	6	48,384	11	1/4,399
女子	31	108	108	60		6	51,336	17	1/3,376
	3	108	108	60	60	6	6,048		

■ 高校数学の統計・確率にかかわる現状の学習指導要領

数学A	1 目標	平面図形,集合と論理及び場合の数と確率について理解させ,基礎的な知識の習得と技能の習熟を図り,事象を数学的に考察し処理する能力を育てるとともに,数学的な見方や考え方のよさを認識できるようにする。
	2 内容	(3) 場合の数と確率 具体的な事象の考察などを通して,順列・組合せや確率について理解し,不確定な事象を数量的にとらえることの有用性を認識するとともに,事象を数学的に考察し処理できるようにする。 ア 順列・組合せ イ 確率とその基本的な法則 ウ 独立な試行と確率 [用語・記号] $_nP_r$, $_nC_r$, $n!$, 階乗, 余事象, 排反 ●内容の取扱い アに関連して,二項定理を扱うものとし,ウに関連して,期待値を扱うものとする。ただし,事象の独立,従属は扱わないものとする。
数学B	1 目標	数列,ベクトル,統計又は数値計算について理解させ,基礎的な知識の習得と技能の習熟を図り,事象を数学的に考察し処理する能力を伸ばすとともに,それらを活用する態度を育てる。
	2 内容	(3) 統計とコンピュータ 統計についての基本的な概念を理解し,身近な資料を表計算用のソフトウェアなどを利用して整理・分析し,資料の傾向を的確にとらえることができるようにする。 ア 資料の整理 　度数分布表,相関図 イ 資料の分析 　代表値,分散,標準偏差,相関係数 ●内容の取扱い　理論的な考察には深入りしないものとする。
数学C	1 目標	行列とその応用,式と曲線,確率分布又は統計処理について理解させ,知識の習得と技能の習熟を図り,事象を数学的に考察し処理する能力を伸ばすとともに,それらを積極的に活用する態度を育てる。
	2 内容	(3) 確率分布 確率の計算及び確率変数とその分布についての理解を深め,不確定な事象を数学的に考察する能力を伸ばすとともに,それらを活用できるようにする。 ア 確率の計算 イ 確率分布 　(ア) 確率変数と確率分布 　(イ) 二項分布 [用語・記号] 条件つき確率,平均,分散,標準偏差 ●内容の取扱い アについては,「数学A」の確率の内容に続いて,条件つき確率などを扱う程度とする。 (4) 統計処理 連続的な確率分布や統計的な推測について理解し,統計的な見方や考え方を豊かにするとともに,それらを統計的な推測に活用できるようにする。 ア 正規分布 　(ア) 連続型確率変数 　(イ) 正規分布 イ 統計的な推測 　(ア) 母集団と標本 　(イ) 統計的な推測の考え [用語・記号] 推定 ●内容の取扱い　理論的な考察には深入りしないものとする。

第2章

確率はどう使う？
(損をしないために)

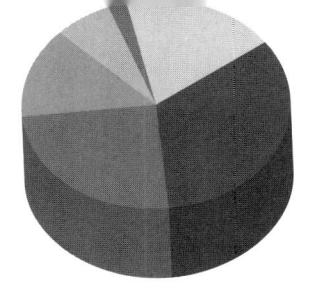

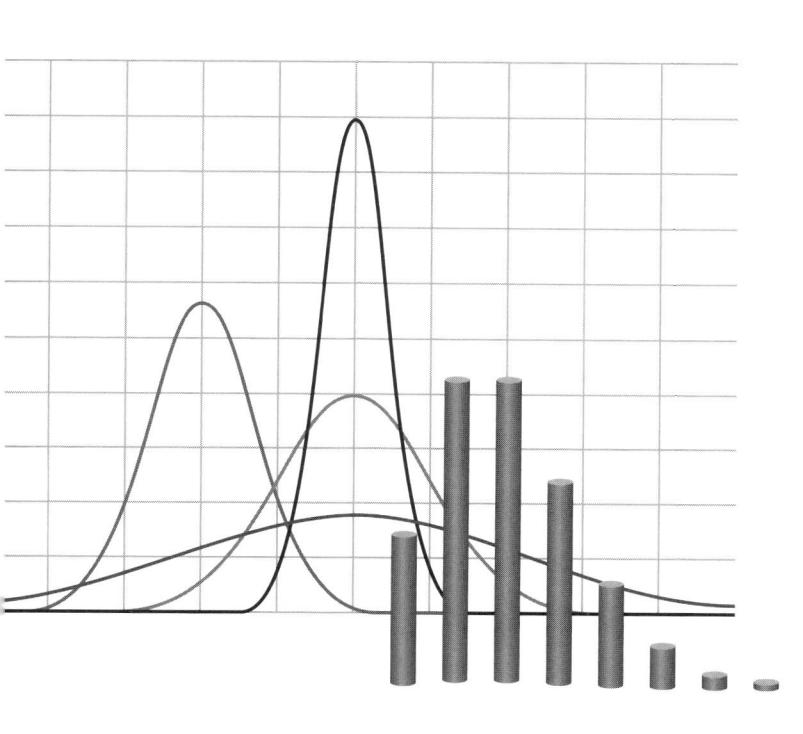

1 確率の基本的な考え方

●試行と事象と確率

前章では、細かいこと、あるいは正式な表現にはこだわらずに、とにかく「標準偏差から正規分布まで」を超特急で解説しました。この正規分布が見えてこないと、統計も確率もまったくおもしろくないからです。

さて本章からは、統計や確率の「用語」も含めて解説していきます。統計や確率には「難しそうな」用語が数多くあって、これが統計や確率のとっつきにくさの原因となっていますが、それは統計や確率にかなり「形式を重視する」傾向があるためです。

しかし、用語を定義することによって、「正確な議論が容易になる」というメリットが出てきます。少々我慢してついてきてください。

確率で必須の用語は「試行」と「事象」です。試行が「さいころを投げるときのように、同じ条件のもとで何回も繰り返すことができ、しかも、どの結果が起こるかが偶然に決まるような実験や観察など」、事象が「試行の結果として起こることがら」(某社

の教科書より）と言われても何が何だかわからないでしょう。こんな表現がまかり通っているから、教科書がわかりにくいのです。もっと実際的に行きましょう。

試行とは「結果が確率で支配される操作」であり、事象とは「試行によって生じる結果」です。ここで「偶然」などという意味不明な言葉を持ち込むから、話が複雑になるのです。ただし著者の悩みもわかります。「確率」をまだ定義していないからです。であるなら、

○試行：結果が確率で支配される操作
○事象：試行の結果
○確率：試行によって事象が生じる割合

と「三つどもえ」で定義してしまえばいいことです。どうです。わかりやすいでしょう。

■ 試行と事象と確率

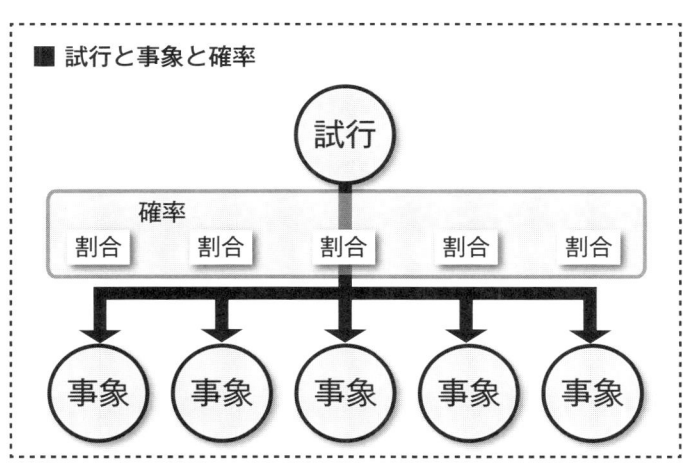

```
              試行
    確率
  割合  割合  割合  割合  割合
    ↓    ↓    ↓    ↓    ↓
   事象  事象  事象  事象  事象
```

53　第2章　確率はどう使う？（損をしないために）

●もう1つ必要な用語「ベルヌーイ試行」

前頁で、「確率：試行によって事象が生じる割合」と定義したわけですから、これだけで確率が定義できるのですが、ここでもう1つ定義する用語があります。それが「ベルヌーイ試行」です。これも人名がついて面倒そうなのですが、逆に名前をつけることによって毎回断り書きが不要なぶん便利だ、と考えましょう。

「ベルヌーイ」とは、確率論に大きな業績を残した数学者の一族の名前で、流体力学にもその名がついた有名な法則があります。ベルヌーイ試行とは、次の4つの条件を満たす試行であり、主として「離散的な独立試行」、標準的な試行を表す用語です。

○試行の結果には、2つの結果しかない（一方を「成功」、他方を「失敗」と呼ぶ）
○試行の繰り返しにおける成功の確率は一定不変である
○試行は互いに独立である（ある試行の結果が他の試行の結果に影響を与えない）
○試行回数は有限である（試行回数が無限ではないので極限は考えない）

この用語を理解するには「ベルヌーイ試行ではない試行」を知る方が早いでしょう。もっとも簡単な例は「商店街のくじ引きのガラポン」（左頁図参照）です。これは、

54

抽選のたびに中のあたり/はずれの球の数が変わるので、独立性がありません。

試行の結果に数値（たとえば「x」）を対応させると、これが「確率変数」と呼ばれる変数の一種（たとえば「X」）となり、その変数が取りうる値の集合は「標本空間」と呼ばれます。このあたりは、聞いただけではわかりにくいので、次頁以降の具体例を参照してください。

● 離散確率と連続確率

確率変数が整数値などの離散的な値（とびとびの値）を取る場合の確率は「離散確率」と呼ばれ、確率変数が実数などの連続的な値を取る場合の確率は「連続確率」と呼ばれます。

コイントスやサイコロは離散確率を発生しますが、前章で述べた正規分布にしたがう誤差は、連続確率によるものです（P140参照）。

■ ガラポン（新井式回転抽選器）

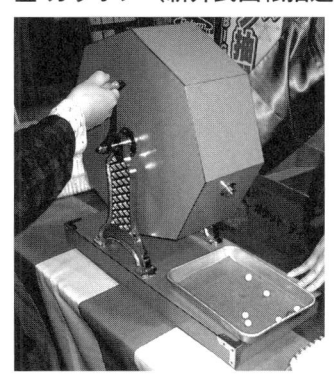

多角柱状の箱の中心に回転軸が取り付けられ、ハンドルを回して手動で回転させる。中にだけの当せん数の当せん球を入れ、箱を1度回すと抽選球が1個だけ出てくる。

55　第2章　確率はどう使う？（損をしないために）

2 もっとも簡単な確率 (コインとサイコロとトランプ)

●コイントスの確率

もっとも簡単な試行はコイントスです。コインをトスする場合、事象は「表が出る」か「裏が出る」です。この場合、確率変数は「表」か「裏」であり、ふつうは「表」に1、「裏」に0を対応させます。そうすると、標本空間は「0と1」です。

ここで「標本」という言葉を使うのもわかりにくいのですが、主に「統計的推定」の分野で「母集団」「標本」「抽出」という言葉を使い、これを確率の方でも援用します。その場合は、「母集団から標本を抽出する」という使い方をします（P100参照）。

○母集団‥‥数多く要素を持つ調査対象の集合
○標本‥‥母集団から抜き出した統計分析の対象
○抽出‥‥母集団から標本を抜き出す操作

そうすると、「0と1」は何かの母集団から抜き出さなければならないのですが、そこまでは考えず、「0と1」を標本とみなして、それが属する集合を標本空間と呼

確率は「試行によって個々の事象が生じる割合」ですから、事象の数をその合計で割れば確率が得られ、その合計は「全事象」の確率であってこれは1です。全事象は「Ω」（オメガ）で表します。個々の確率変数に対応する確率は1/2となります。この場合の表現を下段コラムにまとめます。

試行と事象の表現に、こんなに複雑な構成が必要であるということには若干閉口するでしょう。

しかし、確率を「P（x）」という簡単な数式で書き、確率変数「X」の取りうる値「x」を使って、事象の数を数えるか、事象の数の比を使って確率を計算するというういずれかの「形式」を追って確率が得られるならば、とっても楽な話なのではないでしょうか。

■ コイントスの確率

確率変数 $X = x(0,1)$, 確率変数空間 $\Omega = \{0, 1\}$,

確率略記法 $P(X = i) \equiv P(i)$ $(i = 1, 2)$

1. 事象の数から確率を求める

    $n(0) = n(1) = 1, \ n(\Omega) = 2$ （全事象の数が 2）

    $P(0) = \dfrac{n(0)}{n(\Omega)} = \dfrac{1}{2}, \ P(1) = \dfrac{n(1)}{n(\Omega)} = \dfrac{1}{2}$ （各事象の数が 1、したがって確率は 1/2）

2. もっと簡単に $P(\Omega) = 1$ から確率を求める

    $\begin{cases} P(0) = P(1) \\ P(0) + P(1) = P(\Omega) = 1 \end{cases} \Rightarrow P(0) = P(1) = \dfrac{1}{2}$ （2つの等しい確率の総計が1なら、各確率は 1/2）

57　第2章　確率はどう使う？（損をしないために）

● サイコロの確率

サイコロを振る場合、事象は「1の目が出る」から「6の目が出る」までの6通りです。この場合、確率変数は「目」、標本空間は「1」から「6」までです。確率の合計は1なので、個々の確率変数に対応する確率は1/6となります。この場合の確率の表現を下にまとめます。

● トランプの確率

トランプのカードを1枚引く場合、カードの数字に注目すれば（ジョーカーはないとして）、事象は「1の目が出る」から「13の目が出る」までの13通りです。この場合、確率変数は「目」であり、標本空間は「1」から「13」までです。52枚のカー

■ サイコロの確率

確率変数 $X = x(1, 2, \cdots, 6)$，確率変数空間 $\Omega = \{1, 2, \cdots, 6\}$，

確率略記法 $P(X = i) \equiv P(i) \quad (i = 1, 2, \cdots, 6)$

1. 事象の数から確率を求める

   $n(i) = 1 \quad (i = 1, 2, \cdots, 6), \quad n(\Omega) = 6$

   $P(i) = \dfrac{n(i)}{n(\Omega)} = \dfrac{1}{6}$

2. もっと簡単に $P(\Omega) = 1$ から確率を求める

   $\begin{cases} P(i) = P(j) \quad (i, j = 1, 2, \cdots, 6) \\ \sum_{i=1}^{6} P(i) = P(\Omega) = 1 \end{cases} \Rightarrow P(i) = \dfrac{1}{6} \quad (i = 1, 2, \cdots, 6)$

ドの中で1つの目のカードは4枚あるので、ある特定の目が出る確率は4／52＝1／13です。

カードの「スーツ」(種類)に注目すると、52枚のカードの中で1つのスーツのカードは13枚なので、ある特定のスーツが出る確率は13／52＝1／4です。これらの場合の確率の表現を下にまとめます。

■ トランプの確率

●トランプの数の確率

確率変数 $X = x(1, 2, \cdots, 13)$, 確率変数空間 $\Omega_{Number} = \{1, 2, \cdots, 13\}$,
確率略記法 $P(X = i) \equiv P(i) \quad (i = 1, 2, \cdots, 13)$

1. 事象の数から確率を求める

   $n(i) = 4(i = 1, 2, \cdots, 13), \quad n(\Omega) = 52$

   $P(i) = \dfrac{n(i)}{n(\Omega)} = \dfrac{4}{52} = \dfrac{1}{13}$

2. もっと簡単に $P(\Omega_{Number}) = 1$ から確率を求める

   $\begin{cases} P(i) = P(j) \quad (i, j = 1, 2, \cdots, 13) \\ \sum_{i=1}^{13} P(i) = P(\Omega_{Number}) = 1 \end{cases} \Rightarrow P(i) = \dfrac{1}{13} \quad (i = 1, 2, \cdots, 13)$

●トランプのスーツの確率

確率変数 $X = x(1, 2, 3, 4)$, 確率変数空間 $\Omega_{Suit} = \{1, 2, 3, 4\}$
確率略記法 $P(X = i) \equiv P(i) \quad (i = 1, 2, 3, 4)$

1. 事象の数から確率を求める

   $n(i) = 13(i = 1, 2, 3, 4), \quad n(\Omega) = 52$

   $P(i) = \dfrac{n(i)}{n(\Omega)} = \dfrac{13}{52} = \dfrac{1}{4}$

2. もっと簡単に $P(\Omega_{Suit}) = 1$ から確率を求める

   $\begin{cases} P(i) = P(j) \quad (i, j = 1, 2, 3, 4) \\ \sum_{i=1}^{4} P(i) = P(\Omega_{Suit}) = 1 \end{cases} \Rightarrow P(i) = \dfrac{1}{4} \quad (i = 1, 2, 3, 4)$

3 確率を計算するのに便利なしくみ

●複合事象の確率を計算するための注意事項

前節では非常に簡単な確率の計算の例を示しましたが、確率の計算には、さらにいくつかの便利なしくみが利用できます。事象には次のような公式があるのです。これらが起きる確率を計算するにはそれなりの公式があるのです。

○積事象‥‥複数の事象が両方起こる事象　　　　　　（A & B）
○和事象‥‥複数の事象のいずれかが起こる事象　　　（A or B）
○余事象‥‥特定の事象が「起こらない」という事象　（not A）
○排反事象‥複数の事象が同時に起こらない事象　　　（A & B = φ）

複数の事象の組合せの事象（複合事象）の数の計算は「場合の数」の計算に他ならず、右に示すような複合的事象の演算は標本空間で確率変数が取る値の数の演算なので、確率の計算には他の数学の分野のノウハウを生かすことができます。これら複合事象の確率の計算を左頁に図解します。右の4つの事象の考え方は中学数学の範囲で

あり、表現は高校数学のもので、一見難しそうに見えますが、書きなれると考えを整理しながら計算できるようになります。

「積事象の確率」と事象が連続して起こる場合の「確率の積」とは意味が異なることに注意が必要です。

また、特に便利な関係は「余事象

■ 複合事象の確率の計算方法

●積事象と和事象

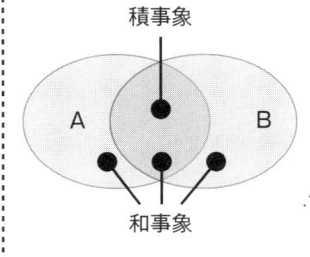

$n(A \cup B) = n(A) + n(B) - n(A \cap B)$
　和事象の数　事象Aの数　事象Bの数　積事象の数

全項を全事象の数 $n(\Omega)$ で割ると

$$\frac{n(A \cup B)}{n(\Omega)} = \frac{n(A)}{n(\Omega)} + \frac{n(B)}{n(\Omega)} - \frac{n(A \cap B)}{n(\Omega)}$$

これは確率の計算式に他ならない

$\therefore P(A \cup B) = P(A) + P(B) - P(A \cap B)$
　和事象の確率　事象Aの確率　事象Bの確率　積事象の確率

●排反事象と余事象

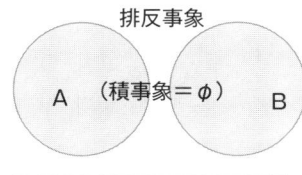

上の関係式でもし

$n(A \cap B) = \phi$

ならば事象 A と事象 B が排反事象であり、

$P(A \cup B) = P(A) + P(B)$

が成立する。

また事象 A の確率を求めるのが面倒な場合に、その余事象の確率を求めて1から引いた方が簡単な場合がある。

$P(A) + P(\overline{A}) = P(\Omega) = 1$
$\Leftrightarrow P(A) = 1 - P(\overline{A})$

の確率」の考え方です。この関係の応用例を次節で説明します。

● 場合の数の計算は4種類の順列・組合せのいずれか

離散確率を計算する場合には、場合の数を計算する必要がありますが、その計算には大きく分けて4つの考え方があり、ほぼどれかの考え方が適用できます。

○ 順列‥順番を考えた順列の数
 (例：数字を構成する場合など、数字を並べる場合)
○ 組合せ‥順番を考えない組合せの数
 (例：数字の組合せを数える場合、トランプなど)
○ 重複順列‥順番を考えた重複を許す順列の数
 (例：数字を構成する場合など、ゾロ目を許して並べる場合)
○ 重複組合せ‥順番を考えない重複を許す組合せの数
 (例：数字の組合せをゾロ目を許して数える場合)

トランプや麻雀などでは、その役の構成には「順番は不要で組合せだけが重要」なので「組合せ」(nCr)で場合の数を計算します。

62

■ 4つの種類の順列・組合せ

	順列	組合せ
重複は禁止	順列 nから始めるr個の連続整数の積 $_nP_r = n \cdot (n-1) \cdot (n-2) \cdots (n-r+1)$ $= r! \cdot {_nC_r}$ 3つの数字から 2つの数字を選ぶ 順列：6通り	組合せ nから始めるr個の連続整数の積／r! $_nC_r = \dfrac{n \cdot (n-1) \cdot (n-2) \cdots (n-r+1)}{r!}$ 3つの数字から 2つの数字を選ぶ 組合せ：3通り
重複を許す	3つの数字から 2つの数字を重複を 許して選ぶ順列：9通り 重複順列 $_n\Pi_r = n^r$	3つの数字から 2つの数字を重複を 許して選ぶ組合せ：6通り 重複組合せ $_nH_r = {_{n+r-1}C_r}$

第2章 確率はどう使う？（損をしないために）

4 ポーカーの役を確率から見る

●ポーカーはカード52枚のゲーム

トランプの役(左頁参照)の確率は、4種類のスーツ(絵柄)と13枚のランク(数字)による52枚のカード(ジョーカーを除く)の組合せで計算します。これは、前節で解説した確率計算のルールの理解にはよい例です。

ポーカーで役が成立する確率は、役を構成する事象の数の比、つまり「場合の数の総数」に対する「役を構成する場合の数」の比です。場合の数の総数は、52枚のカードから5枚を選ぶ組合せの数:約260万通りです(下段の解説参照)。そして後は「役を構成する場合の数」を次の2つの問題に注意して計算し、その確率を計算します。

■ ポーカーの場合の数の総数

$$_nC_r = \frac{n!}{(n-r)!r!} \quad _{52}C_5 = \frac{52 \times 51 \times 50 \times 49 \times 48}{5 \times 4 \times 3 \times 2 \times 1} = 2{,}598{,}960$$

$52 \times 51 \times 50 \times 49 \times 48$

これが順列、順番を無視するために5! で割ったものが組合せ。これがトランプの役を計算する「場合の数」。

■ ポーカーの役

ポーカーでは、次の順で強さが決まります。
○ 役の順
○ ランクの順 (A⇒K⇒Q⇒J⇒10⇒9…2)
○ スーツの順 (スペード、ハート、ダイヤ、クローバー)

●ポーカーの役

1 ワンペア:
同じランクの札が2枚そろったもの。
ワンペアどうしでは、まずランクを比べ、次にスーツを比較。

2 ツーペア:
ワンペアが2組そろったもの。
ツーペアどうしでは、まず高い方のペア、次に低い方のペアを比較し、最後に高い方のペアのスーツを比較。

3 スリーカード:
同じランクの札が3枚そろったもの。

4 ストレート:
スーツに無関係に、5枚のカードの数字が続いているもの。ただし、K・Aと2はつながらない。

5 フラッシュ:
ランクに無関係に、同じスーツのカードが5枚そろったもの。

6 フルハウス:
スリーカードとワンペアが同時にそろったもの。
同じ役どうしではスリーカードで比較し、ランクの高い方が勝ちです。

7 フォーカード:
同ランクの札が4枚そろったもの。

8 ストレート・フラッシュ:
ストレートとフラッシュが同時に成立したもの。

9 ロイヤル・ストレート・フラッシュ:
ストレート・フラッシュで、ランクが1番高い5枚のカードが順に10・J・Q・K・Aとそろったもの。

65　第2章　確率はどう使う？（損をしないために）

○役を構成しない「残りのカード」を構成する場合の数
○上位の役との重複

たとえば、ワンペア、ツーペア、スリーカードなどの場合には、「役を構成しないカード」を選ぶ組合せの計算に注意が必要です。また、ワンペア、ツーペア、スリーカード、フルハウスとフォーカードなどを「重複系」、残りのストレート・フラッシュ系を「非重複系」と呼んで区別すると、重複系と非重複系の役は重複しませんが、非重複系の中で役が重複するので、これの除外にも注意が必要です。

● フラッシュとストレートの確率

まずは計算がもっとも簡単な非重複系の役のグループの確率から計算します。これらの役は、事象の数も少ないため計算が比較的簡単です。

フラッシュの場合の数は、1つのスーツの13枚の中から5枚を選ぶ組合せの数をスーツの数だけ4倍します。したがって、場合の数は「$_{13}C_5 × 4 = 5,148$」であり、確率は「$5,148 / 約260万 ≒ 0.20\% ≒ 1/505$」

ストレートの場合の数は、最低位がA〜10の10通り、各カードのスーツが4通りず

■ ポーカーの場合の数の総数

		hand ランク	hand スーツ	others	重複の有無	事象の数（場合の数）	確率 %	確率 分の1
非重複系	ロイヤル・ストレート・フラッシュ	1	$_4C_1$		なし	4	0.00015%	649,740
非重複系	ストレート・フラッシュ	9	$_4C_1$		なし	36	0.00139%	72,193
非重複系	フラッシュ	$_{13}C_5$	$_4C_1$		RSF&SF：40	5,108	0.20%	509
非重複系	ストレート	10	4^5			10,200	0.39%	255
重複系	フォーカード	$_{13}C_1$	$_4C_1$	$_{48}C_1$	なし	624	0.02%	4,165
重複系	フルハウス	$_{13}C_2$	$_4C_3 \times _4C_2 \times 2$		なし	3744	0.14%	694
重複系	スリーカード	$_{13}C_1$	$_4C_3$	$_{48}C_2$	フル・ハウス	54,912	2.11%	47.330
重複系	ツーペア	$_{13}C_2$	$_4C_2 \times _4C_2$	$_{11}C_1 \times 4$	なし	123,552	4.75%	21.035
重複系	ワンペア	$_{13}C_1$	$_4C_2$	$_{12}C_3 \times 4^3$	フル・ハウス	1,098,240	42.26%	2.366
	ノーペア					1,302,540	50.12%	1.995
	合計			$_{52}C_5$		2,598,960	100.00%	1.000

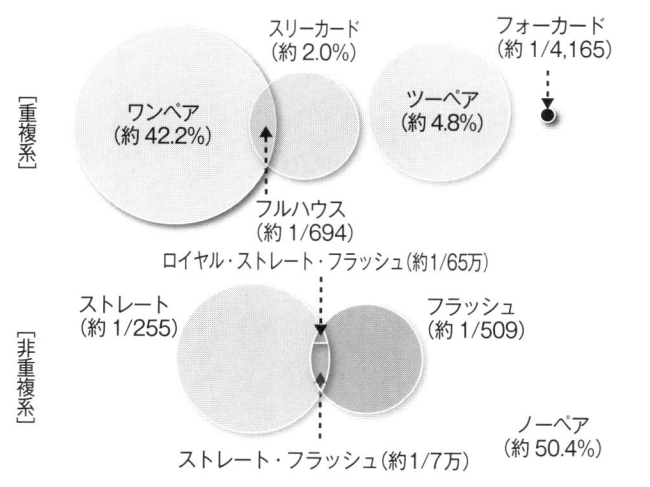

■ ポーカーの役の確率

[重複系]

スリーカード（約2.0%）
フォーカード（約1/4,165）
ワンペア（約42.2%）
ツーペア（約4.8%）
フルハウス（約1/694）

[非重複系]

ロイヤル・ストレート・フラッシュ（約1/65万）
ストレート（約1/255）
フラッシュ（約1/509）
ストレート・フラッシュ（約1/7万）
ノーペア（約50.4%）

つあるので、1つの数字ごとに4通り、合わせて「$10 \times 4^5 = 10,240$」であり、確率は「10,240／約260万≒0.39％=1／254」となります。

ところがストレート・フラッシュ（SF）は、フラッシュとストレートの両方に含まれ、フラッシュの確率とストレートの確率の両方に重複して含まれます。

また一方SFは、単なるSFとロイヤル・ストレート・フラッシュ（RSF）に分けられ、10通りのストレートのうち、10、J、Q、K、Aの5枚から構成されるものがRSF、それ以外の9通りがSFです。つまり、SFの場合の数は9通り×4スーツ＝36、RSFの場合の数は、1通り×4スーツ＝4です。SFの

■ フラッシュの確率

$\begin{cases} n(\text{フラッシュ}) = n \\ P(\text{フラッシュ}) = \dfrac{n}{n(\Omega)} \end{cases}$

$n(\Omega) = {}_{52}C_5 = \dfrac{52!}{47!5!} = 2,598,960$

$n = {}_{13}C_5 \times 4 = 5,148$

$P(\text{フラッシュ}) = \dfrac{5,148}{2,598,960} = \dfrac{1}{505}$

確率は約260万分の36（＝約7万分の1）、RSFの確率は約65万分の1となります。

そしてこれらはフラッシュやストレートの場合の数から差し引かなければなりません。その結果、フラッシュの場合の数は5,148－40＝5,108、確率は「5108/約260万≒0・20%≒1/509」となります。ストレートの場合の数は10,240－40＝10,200、確率は「10,200/約260万≒0・39%≒1/255」となります。フラッシュはストレートの約2倍出にくい役です。

● **フォーカードの確率**

重複系の役の中で確率の計算がもっとも簡単なのはフォーカードです。これは、各スー

■ **ストレートの確率**

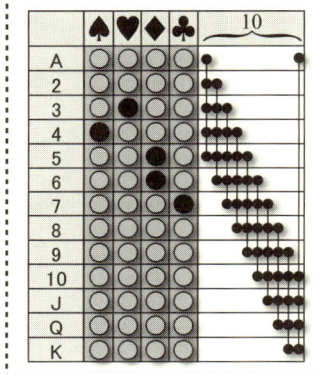

$\begin{cases} n(ストレート) = n \\ P(ストレート) = \dfrac{n}{n(\Omega)} \end{cases}$

$n(\Omega) = {}_{52}C_5 = \dfrac{52!}{47!5!} = 2{,}598{,}960$

$n = 10 \times 4^5 = 10{,}240$

$P(ストレート) = \dfrac{10{,}240}{2{,}598{,}960} = \dfrac{1}{254}$

ツの同一ランクのカードが4枚すべてそろう場合であり、残りの1枚は何でもかまいません。カードのランクは13通りあり、残りの1枚はそのランクの4枚を除いた48通りなので、フォーカードの確率は「13×48／約260万≒1／4,165」です。

●スリーカードとフルハウスの確率

続いてフルハウスは、スリーカード&ワンペアの場合です。まず、スリーカードの場合の数を計算します。

スリーカードの場合の数は、ランクがそろった3枚のカードの場合の数と、それらとはランクが異なる2枚のカードの場合の数をかけます。そのうち、残りの2枚のカードのランク

■ フルハウスとフォーカードの確率

	♠	♥	♦	♣
A	○	○	○	○
2	●	○	○	●
3	○	○	○	○
4	●	●	●	○
5	○	○	○	○
6	○	○	○	○
7	○	○	○	○
8	○	○	○	○
9	●	●	●	●
10	○	○	○	○
J	○	○	○	○
Q	○	○	○	○
K	○	○	○	○

$$\begin{cases} n = n_{hand} \times n_{others} \\ P = \dfrac{n}{n(\Omega)}, n(\Omega) = {}_{52}C_5 = \dfrac{52!}{47!5!} = 2{,}598{,}960 \end{cases}$$

$n(\text{フルハウス}) = n_3 \times n_2$
$n_3 = {}_{13}C_1 \times {}_4C_3 = 13 \times 4 = 52$
$n_2 = {}_{12}C_1 \times {}_4C_2 = 12 \times 6 = 72$
$P(\text{フルハウス}) = \dfrac{52 \times 72}{2{,}598{,}960} = \dfrac{1}{694}$

$n(\text{フォーカード}) = n_{hand} \times n_{others}$
$n_{hand} = {}_{13}C_1 = 13$
$n_{others} = {}_{12}C_1 \times 4 = 48$
$P(\text{フォーカード}) = \dfrac{13 \times 48}{2{,}598{,}960} = \dfrac{1}{4{,}165}$

が一致した場合がフルハウスです。

スリーカードの部分は、13通りのランクの中から1つを選び、そのランクの4枚のカードの中から3枚のカードを選ぶ場合の数であり、これは「$13 \times {}_4C_3 = 52$」です。スリーカード以外の部分の場合の数は、残った12通りのランクの中から2つのランクを選び、それらのランクの各4枚のカードの中から1枚ずつを選ぶ場合の数、つまり「${}_{12}C_2 \times 4^2 = 66 \times 16 = 1,056$」です。これらをかけ合わせると、確率は「$(52 \times 1,056)／約260万 ≒ 54,912／約260万 ≒ 2.1\%$」となります。

フルハウスの場合には、この後半の計算で「ランクが同じ2枚のカードを選ぶ」場合の数として「${}_{12}C_1 \times {}_4C_2 = 72$」を用います。したがって、

■ スリーカードの確率

	♠	♥	♦	♣
A	○	○	○	○
2	○	○	○	○
3	○	○	○	○
4	○	●	●	●
5	○	○	○	○
6	○	○	○	○
7	○	○	○	○
8	○	○	○	○
9	○	○	○	○
10	○	○	○	○
J	○	○	○	○
Q	○	○	○	○
K	○	○	○	○

$\begin{cases} n(スリーカード) = n_{hand} \times n_{others} \\ P(スリーカード) = \dfrac{n}{n(\Omega)} \end{cases}$

$n(\Omega) = {}_{52}C_5 = \dfrac{52!}{47!5!} = 2,598,960$

$n_{hand} = {}_{13}C_1 \times {}_4C_3 = 13 \times 4 = 52$

$n_{others} = {}_{12}C_2 \times 4^2 = 66 \times 16 = 1,056$

$P(スリーカード) = \dfrac{52 \times 1,056}{2,598,960} ≒ 2.1\%$

正確には、この値からフルハウスの確率 $\dfrac{1}{694}$ を差し引いて2.0%となる。

フルハウスの確率は「52×72／約260万≒1/694」です。

フルハウスはフラッシュより少しだけ出にくい役、フォーカードはフラッシュより約8倍出にくい役ということになります。

● ワンペアの確率

ワンペアは、「ワンペア部分」の場合の数と「ワンペア以外の部分」の場合の数をかけたものです。ワンペアの部分の場合の数は、13のランクの中から1つ選び（$_{13}C_1$）、4つのスーツの中から2枚のカードを選ぶ（$_4C_2$）場合の数「$_{13}C_1 \times {}_4C_2 = 78$」です。

「ワンペア以外の部分」の場合の数は、残った12のランクの中から互いに異なる3つのラン

■ ワンペアの確率

$\begin{cases} n(\text{ワンペア}) = n_{hand} \times n_{others} \\ P(\text{ワンペア}) = \dfrac{n}{n(\Omega)} \end{cases}$

$n(\Omega) = {}_{52}C_5 = \dfrac{52!}{47!5!} = 2{,}598{,}960$

$n_{hand} = {}_{13}C_1 \times {}_4C_2 = 13 \times 6 = 78$

$n_{others} = {}_{12}C_3 \times 4^3 = 220 \times 64 = 14{,}080$

$P(\text{ワンペア}) = \dfrac{78 \times 14{,}080}{2{,}598{,}960} = 42.3\%$

この値からフルハウスの確率 $\dfrac{1}{694}$ を差し引いて42.2%となる。

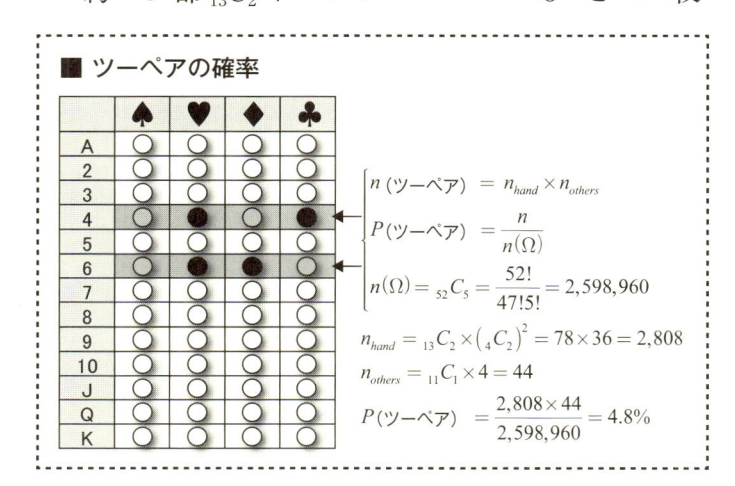

ると、ワンペアの確率は「(78×14,080/約260万≒42・3%」となります。

のカードにはそれぞれ4枚クを選び、それぞれのランクがあるので、場合の数は「$_{12}C_3 × 4^3 =$ 220×64＝14,080」です。かけ合わせ

● ツーペアの確率

　ツーペア部分の場合の数は、13通りのランクの中から「重複しない2つのランク」を選び、さらにそれぞれのランクにおいて4枚のカードの中から2枚を選ぶ場合の数をかけた「$_{13}C_2 ×\,_4C_2 ×\,_4C_2＝78×36$」です。「ツーペア以外の部分」の場合の数は、「(13−2)×4＝44」です。これらをかけ合わせると、「(78×36×44)/約260万≒4・8%」となります。

■ ツーペアの確率

$$\begin{cases} n(ツーペア) = n_{hand} × n_{others} \\ P(ツーペア) = \dfrac{n}{n(\Omega)} \\ n(\Omega) = {}_{52}C_5 = \dfrac{52!}{47!5!} = 2{,}598{,}960 \end{cases}$$

$n_{hand} = {}_{13}C_2 × \left({}_4C_2\right)^2 = 78 × 36 = 2{,}808$

$n_{others} = {}_{11}C_1 × 4 = 44$

$P(ツーペア) = \dfrac{2{,}808 × 44}{2{,}598{,}960} = 4.8\%$

5 余事象の確率の身近な応用例

●3割打者は強打者か

野球では3割打者は強打者とされていますが、3回に1回もヒットが打てない打者がどうして強打者なのでしょうか。それは、野球というゲームが1試合中にふつう1人あたりの4回以上打順が回ってきて、1試合中に何回もチャンスがあるからです。これを考えるには、その強打者の1試合あたりの「ヒットを打つ確率」を考えればわかります。そしてこの計算にも「余事象の確率」の考え方が必要になります。

1試合に最低1回ヒットを打つ確率は、全打席凡退の事象の余事象の確率であり、1試合あたりの4回の打席が回ってくると考えると、1試合あたりのでは76％はヒットを打ってくれるので、これがタイミング良くチャンスに当たればよいわけです。

●入社試験に受かる確率はどれくらいか

この問題も3割打者と同じであり、1社あたりの合格率は低くとも、たとえば10社

や20社受ける場合の合格率は、1社だけ受ける場合の合格率に比べると格段に大きくなり、10社の場合は65％、20社の場合はなんと88％です。「下手な鉄砲も数打ちゃ当たる」ので、諦めずに挑戦する根性が必要です。

●三択式試験のヤマカン正答率

三択式の10問の試験ですべてヤマカンで解答した場合、全問正答の率は低い（0.0017％）のですが全問誤答の率（1.7％）も低いので、諦めてはいけません。正答数ごとの確率は、確率1/3でn問正解する二項分布の問題に相当します（P114参照）。

■ 余事象の確率の身近な応用例

●強打者が1試合でヒットを打つ確率（$P(1)$：打率）

$P(1) = 0.3 \Rightarrow \bar{P}(1) = 1 - P(1) = 0.7$

$P_{H>0}(4) = 1 - (\bar{P}(1))^4 = 1 - 0.7^4 = 0.76$

（1試合4打席の場合に、1本でもヒットを打つ確率）

●最低1社は合格する確率（$P(1)$：1社当たりの合格率）

$P(1) = 0.1 \Rightarrow \bar{P}(1) = 1 - P(1) = 0.9$

$P_{P>0}(10) = 1 - (\bar{P}(1))^{10} = 1 - 0.9^{10} = 0.65$

$P_{P>0}(20) = 1 - (\bar{P}(1))^{20} = 1 - 0.9^{20} = 0.88$

（10社または20社受験して、1社以上受かる確率）

●三択式の試験で1問だけでも正解する確率（$P(1)$：1問当たりの正解率）

$P(1) = \dfrac{1}{3} \Rightarrow \bar{P}(1) = 1 - P(1) = \dfrac{2}{3}$

$\underset{\text{正解}}{\text{（全問）}} P_{R=10}(10) = (P(1))^{10} = \dfrac{1}{59049}, \quad P_{R=0}(10) = (\bar{P}(1))^{10} = 1.7\%$ （全問誤答）

$P_{R>0}(10) = 1 - P_{R=0}(10) = 98.3\%$（1問でも正解）

●40人のクラスに誕生日が同じ生徒がいる確率は？

これはよく「意外な計算結果」の例として取り上げられ、前著「数学のほんとうの使い道」でも扱いました。「40人のクラスで誕生日が一致する生徒がいる確率」は約89％という高確率です。誕生日が全員異なる確率の方がはるかに小さいのです。

この確率の計算でも「余事象の確率」の考え方を利用します。それは、

○「誕生日が同じ生徒がいる確率」（事象Aの確率）

を計算するより、

○「誕生日がすべて異なる確率」（事象Aの余事象の確率）

を計算するほうが簡単だからです。「誕生日がすべて異なる確率」は「(1－誕生日が一致する確率)の積」で簡単に計算できます。

1クラス2人の場合、1人の生徒に注目して他の生徒の誕生日が一致する確率は、場合の数÷1を「すべての場合の数」＝365（日）で割って、1／365となります。

3人の場合は、3人目の誕生日が最初の2人の誕生日と一致する確率が2／365なので、1／365と掛け合わせて1から引きます。以降の計算を左頁に示します。

76

■ クラスに誕生日が同じ生徒がいる確率

「40人の中で誕生日が同じ生徒がいる確率 P_{40}」は、1から「誕生日がすべて異なる確率 $\overline{P}_{40}$」を差し引いて計算するほうが計算が簡単です。ここで p_n は、「n人目の生徒が n-1人目までの生徒と誕生日が一致しない確率」であり、これをかけ合わせて1から引くことで、「n人の生徒の誕生日が一致する確率」が求められます。

$\overline{P}_2 = p_2 = 1 - \dfrac{1}{365}$

$\overline{P}_3 = p_2 \times p_3 = \left(1 - \dfrac{1}{365}\right)\left(1 - \dfrac{2}{365}\right), \quad P_3 = 1 - \overline{P}_3 = 1 - \left(1 - \dfrac{1}{365}\right)\left(1 - \dfrac{2}{365}\right)$

　　　↑2人目の生徒が1人目の生徒　　↑3人目の生徒が2人目までの
　　　と誕生日が一致しない確率　　　生徒と誕生日が一致しない確率

$\overline{P}_{40} = p_2 \times p_3 \times \cdots \times p_{40}$

$P_{40} = 1 - \overline{P}_{40} = 1 - \left[\left(1 - \dfrac{1}{365}\right)\left(1 - \dfrac{2}{365}\right) \cdots \cdots \left(1 - \dfrac{39}{365}\right)\right]$

$\overline{P}_{40} = \dfrac{364}{365} \cdot \dfrac{363}{365} \cdots \cdots \dfrac{365-39}{365} = \dfrac{364!}{365^{39} \cdot 325!} = 0.11 \quad P_{40} = 1 - \overline{P}_{40} = 0.89$

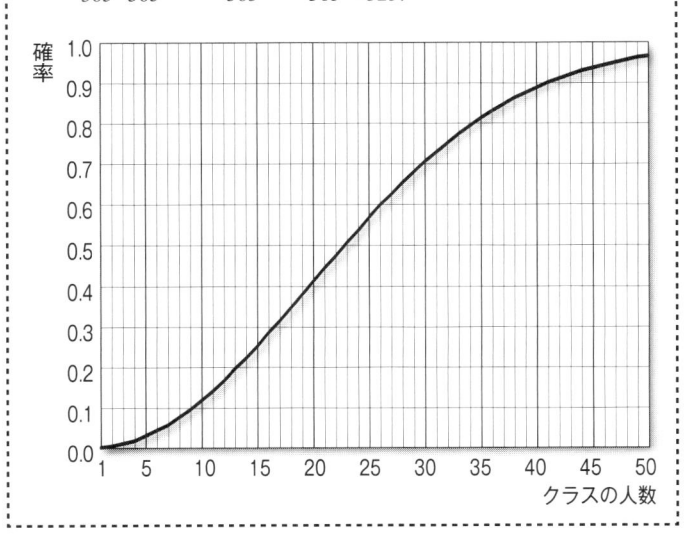

77　第2章　確率はどう使う？（損をしないために）

6 地震の発生確率の逆算の考え方

● この解釈は正しいか

ある高名な経済学者が、次のようなことをネット上で述べておられます。書かれている場所がツイッターであることもあり、実名を挙げて批判するつもりはありませんが、「間違った考え方」としてはよい例なので、ここで取り上げさせていただきます。

30年で大地震の確率は87%…浜岡停止の最大の理由だ。確率計算のプロセスは不明だが、あえて単純計算すると、この1年で起こる確率は2・9%、この1カ月の確率は0・2%だ。原発停止の様々な社会経済的コストを試算するために1カ月かけても、その間に地震が起こる確率は極めて低いはずだ。

「あえて単純計算すると」と断ってはおられますが、この考え方は完全に間違っています。さて、間違っているのはどの点でしょうか。30年以内に1回以上地震が起こる確率を30等分しても、直近の1年間に地震が起こる確率は計算できないのです。

● 期間についての確率の期間を変更するには

「n年間に何かが起こる確率」とは、「n年間に何かが起きない確率」の余事象です。そして「n年間に何かが起きない確率」は、「1年間に何かが起きない確率」をn乗したものなので、「1/n」ではなくn乗根を使わなければなりません。

そして「1年間に何かが起きない確率」は「1年間に何かが起きる確率」の余事象です。

したがって、正しい計算は下段コラムに記したものになり、「1年間に東海地震が起きる確率」は、右頁にのべた某高名経済学者の計算した確率の2倍以上の「6.6%」となります。ただし、それによって社会経済的コストの試算が不要だとは申しませんが。

■ 地震の発生の確率の逆算

$p = p(1y)$ を1年以内に1回以上東海地震が起こる確率とします。そうすると、30年以内に東海地震が起こらない確率 P は次のように表すことができます。30年以内に東海地震が1回以上起こる確率を87%と仮定すると、次の関係が成立します。

$$P = (1-p)^{30} = 1 - 87\% = 13\%$$

ここで両辺の対数をとって整理すると、次の関係が得られます。

$$1 - p = 0.13^{\frac{1}{30}} = 0.934$$

したがって、1年以内に1回以上東海地震が起こる確率は次のようになります。同様にして1カ月以内の確率は0.6%となります。

$$p = 1 - 0.934 = 0.066 = 6.6\%$$

7 確率論の起源となったサイコロの問題

●ド・メレの成功と失敗

確率の始まりはギャンブルでした。17世紀のある日に、シュバリエ・ド・メレというギャンブラーからパスカルに対して、ギャンブルに関する2つの問題が提示され、これらが確率論の起源だといわれています。1つはサイコロの問題です。

「1つのサイコロを4回投げて、そのうち1回でも6が出たら勝ち」という賭けでは、かなり勝つことができたが、「2つのサイコロを24回投げて6のゾロ目が1回でも出たら勝ち」という賭けでは大負けした。これはどうしてか。

まず前半の件では、1～6の目が出る確率は1/6であり、したがって6が出ない確率は5/6です。すると4回とも「6」が出ない確率は5/6の4乗＝0.48となり、「1-5/6の4乗＝0.52。この値は0.5より大きいので、賭けの回数を重ねればか

ならず勝てることになります。

次に後半の件では、2個のサイコロを投げて、まず「6のゾロ目が出ない確率」を考えます。この場合の確率は、下図にも示す通り、35/36＝0・97です。サイコロを24回ふって一度も6のゾロ目が出ない確率は35/36の24乗＝0・51となります。すると、一度でも6のゾロ目が出る確率は1－35/36の24乗＝0・49となり、0・5よりも小さくなります。したがって、賭けの回数を重ねればかならず負けることになります。

■ ド・メレの成功と失敗

前半の問題

$$P_1(6) = \frac{1}{6}$$

$$P_A = 1 - \{1 - P_1(6)\}^4 = 0.52 > 0.5$$

| 1 | 2 | 3 | 4 | 5 | 6 |

$$P_1(6) = \frac{1}{6}$$

後半の問題

$$P_1(6,6) = \left(\frac{1}{6}\right)^2$$

$$P_B = 1 - \{1 - P_1(6,6)\}^{24} = 0.49 < 0.5$$

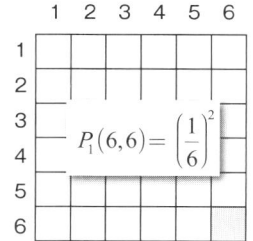

$$P_1(6,6) = \left(\frac{1}{6}\right)^2$$

サイコロ1個の場合は、それぞれの目が出る確率はすべて1/6であるが、これが2個になった場合の目の出方は右上の方眼図を描くと簡単に計算できる。ゾロ目はすべてそれぞれ1/36、したがって6のゾロ目は1/36。

8 期待値はギャンブルの賞金の配分から始まった

● 賭けの中断問題

前節で述べた問題に加えて、確率論に大きな進歩をもたらしたのが、本節で取り上げる「賭けの中断問題」です。これは、AとBが、「最終的に勝ったほうが総取りの賭けをしていたが、もしこのゲームを途中で止めるとき、中間結果から賭け金を配分するにはどうしたらよいか」という問題です。これをもう少し具体的に書くと次のようになります。

AとBがそれぞれ50万円を賭けて、コイントスで先に3勝したほうが賞金100万円を得るという賭けにおいて、Aが2勝／Bが1勝したところでゲームを中断しなければならなくなった場合、賞金はどのような割合で分配すべきか。

そこでパスカルは、この問題に「確率と期待値」の概念を導入して、あざやかに解決しました。AとBそれぞれが勝つ確率を計算して、その確率で賞金を分配するわけ

で、この場合は「賞金×確率」が期待値です。

● 期待値の登場

まずは両者それぞれが勝つ確率を計算します。もう1回コイントスをしてAが勝つと、Aの勝ちが確定します。もしBが勝つと両者2勝で並び、その場合は勝率五分五分に戻るので、賞金折半が正しいでしょう。

するとAの勝率は3／4、Bの勝率は1／4となります。そこでAが得るべき期待値は75万円、Bが得るべき期待値は25万円ということになります。この過程を下図でわかりやすく図解します。

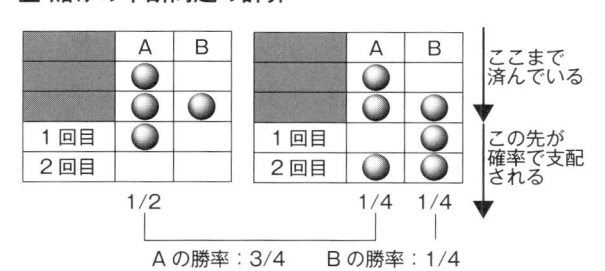

そしてこの「勝率の算出」と「賞金の分配」の考え方が期待値の考え方に他ならないのです。

■ 賭けの中断問題の計算

	A	B
	●	
	●	●
1回目	●	
2回目		

1/2

	A	B
	●	
	●	●
1回目		●
2回目		●

1/4　1/4

ここまで済んでいる

この先が確率で支配される

Aの勝率：3/4　　Bの勝率：1/4

期待値 ＝ 確率変数 × 確率
確率変数：賞金全額
確率：A・Bの勝率　　　　A：100万円 ×75％＝75万円
期待値 ＝ 払戻金　　　　　B：100万円 ×25％＝25万円

9 ギャンブルの期待値はどれくらいか？

●宝くじの期待値はどれくらいか？

期待値は「確率変数×確率」です。これは「確率を重みとした加重平均」に他なりません。「確率変数の平均値」ということもできます。これを宝くじに置き換えると、確率変数は「当せん金額」、確率は「当せん確率」であり、かけ合わせると宝くじの賞金の期待値が得られます（「当せん」の「せん」は「選」ではなく「籤」）。では、1枚300円のジャンボ宝くじの期待値はいくらなのでしょうか。

まず、当せん賞金2億円の1等の期待値を計算してみます。年末ジャンボ宝くじ2010の1等は1ユニット（1000万枚）あたり1枚なので、確率は1／1000万、賞金は2億円、これらをかけ合わせると20円、これが「1等の期待値」です。同様に「2等の期待値」を計算すると、確率は5／1000万、賞金は1億円なので、期待値は50円です。

このようにして求めた期待値の合計はわずかに143円（約48％）程度であり、これ

84

■ 年末ジャンボ宝くじ 2010 の期待値

　宝くじは、「ユニット」と呼ばれる単位で販売され、ユニットを単位として賞金が設定されています。したがって、期待値はユニット単位で計算します。

当せん等級	当せん金額	当せん番号 組	当せん番号 番号	当せん本数 74ユニットあたり	当せん本数 1ユニットあたり
1等	200,000,000	2桁	下5桁	74	1
1等の前後賞	50,000,000	2桁	下5桁	148	2
1等の組違い賞	100,000	2桁	下5桁	7,326	99
2等	100,000,000			370	5
3等	1,000,000			7,400	100
4等	10,000	各組共通	下3桁	740,000	10,000
5等	3,000	各組共通	下3桁	2,220,000	30,000
6等	300	各組共通	下1桁	74,000,000	1,000,000
年忘れラッキー賞	30,000	各組共通	下4桁	74,000	1,000
				77,049,318	1,041,207

当せん等級	当せん金額	1ユニット当たり 当せん本数	賞金総額（百万円）	当せん確率	期待値（円）
1等	200,000,000	1	200	0.00001%	20.00
1等の前後賞	50,000,000	2	100	0.00002%	10.00
1等の組違い賞	100,000	99	9.9	0.00099%	0.99
2等	100,000,000	5	500	0.00005%	50.00
3等	1,000,000	100	100	0.001%	10.00
4等	10,000	10,000	100	0.1%	10.00
5等	3,000	30,000	90	0.3%	9.00
6等	300	1,000,000	300	10%	30.00
年忘れラッキー賞	30,000	1,000	30	0.01%	3.00
		1,041,207	1,430	10.412%	142.99

が宝くじ1枚あたりのの賞金の平均額です。これが「配当率」であり、この金額と1枚の宝くじの比率が「配当率」です。

くじの代金300円と配当額143円の差額157円から経費などを除いた約120円（約40％）が発売元の都道府県または政令指定都市に収納されます。このような胴元が取る金額を「控除額」（テラ銭）、その率を「控除率」と呼びます。ギャンブルの期待値を計算すると、払い戻される金額や、胴元の懐に入る金額が計算できます。P90の表に、主なギャンブルの配当率・控除率をまとめて表示しました。

● ルーレットの期待値と控除率

ルーレットでは、左頁に示すように、36個のマスと、その上部にアメリカ式の場合は「0」「00」の両方、ヨーロッパ式の場合は「0」だけが配置され、その横にいくつかのマスが用意されています。36のマスと「0」「00」の数字に賭ける方法を「インサイドベット」、そのサイドのマスに賭ける方法を「アウトサイドベット」と呼びます。インサイドベットでは1つまたは複数の数字に賭け、アウトサイドベットではなく、次のような数字のグループに賭けます。

86

■ ルーレットの賭け方と倍率

	名前	賭ける 数字の数	当たる 確率	配当	払い戻し	期待値
イ ン サ イ ド ベ ッ ト	ストレートアップ	1枚賭け	1/38	35倍	36倍	36/38
	スプリットベット	2枚賭け	2/38	17倍	18倍	
	ストリートベット	3枚賭け	3/38	11倍	12倍	
	コーナーベット	4枚賭け	4/38	8倍	9倍	
	ラインベット	6枚賭け	6/38	5倍	6倍	
	トリプルベット	3枚賭け	3/38	11倍	12倍	
	5ベット	5枚賭け	5/38	6倍	7倍	35/38
ア ウ ト サ イ ド ベ ッ ト	ダズンベット	12枚賭け	12/38	2倍	3倍	36/38
	コラムベット	12枚賭け	12/38	2倍	3倍	
	レッド／ブラック	18枚賭け	18/38	1倍	2倍	
	イーブン／オッド	18枚賭け	18/38	1倍	2倍	
	ロウ／ハイ	18枚賭け	18/38	1倍	2倍	

■ 賭け方と賭ける数字の数

　これらのホイール（下図）とテーブル（右図）は「アメリカ式」のもので、「0」と「00」が両方あります。

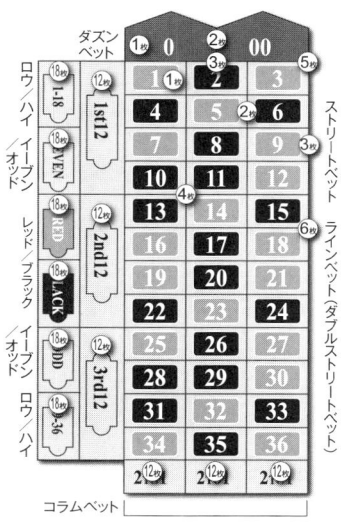

87　第2章　確率はどう使う？（損をしないために）

○赤または黒ないしは奇数または偶数（各18個）
○前半または後半の各18個の数字のグループのいずれか
○上中下段の各12個の数字のグループのいずれか
○縦の列の各12個の数字のグループのいずれか

いずれの場合でもホイールは、アメリカ式の場合は「0」「00」を含めて38個、ヨーロッパ式は「0」を含めて37個に分割されており（以降、ヨーロッパ式に関する説明をカッコ内に表示します）、数字ごとの当たる確率は1／38（1／37）となり、当たった場合の取り分の期待値は「36／38」（36／37）となります。そして胴元の取り分（控除率）は「2／38」（1／37）となります。

●ルーレットで勝つ方法はあるか

少なくともまず、あればアメリカ式ではなくヨーロッパ式のルーレットを選ぶべきです。米国のカジノでも、ヨーロッパ式のルーレットを置いているところがあります。

また、ルーレットでは「ディーラーは目を選べる」ということを肝に銘じておいてください。まあ、ディーラーがまったく負けないようにやっていては客が逃げるので、

ある程度は勝たせてくれますが。その上で、次の3つの原則をよく理解してください。

○ どの目が出るかは過去の目に無関係です
（ベルヌーイ試行）
○ 連敗が続く確率は小さいほうです
（10連敗する確率‥0・16％以下…米式）
○ 勝てる確率は0・5以下なので、数多い回数の勝負では勝てません（大数の法則）

「大数（たいすう）の法則」は、「試行回数を増やせば確率は平均値に近づく」あるいは「短期間の結果をみると確率的にはありえないことが起きたとしても、十分回数を重ねると、理論的な確率に近づく」ということです（下図参照）。そして勝つためにはこの「確率的にはありえないこと」に賭けるしかありません。

■ 大数の法則の図で表現すると…

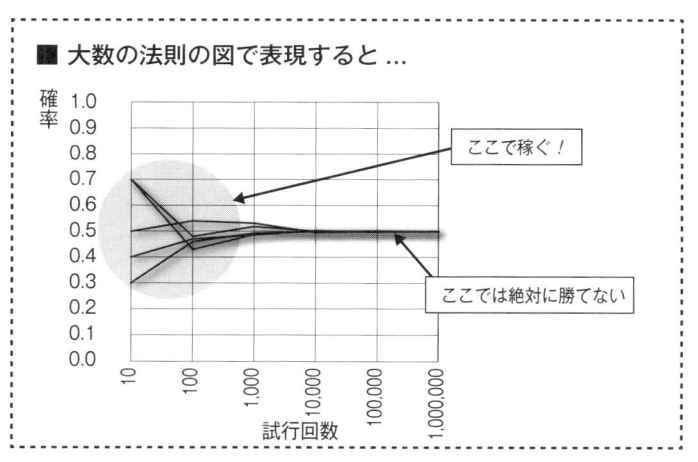

確率のグラフ（縦軸: 0.0〜1.0、横軸: 試行回数 10〜1,000,000）

ここで稼ぐ！

ここでは絶対に勝てない

第2章　確率はどう使う？（損をしないために）

■ ギャンブルの配当率と控除率

宝くじほど控除率が高いギャンブルは他にはありません。なんと半額以上が発売元の都道府県または政令指定都市などに収納され、さまざまな事業に使用されます。それでも人気があるのは、やはり「最高賞金額が2億円」だからでしょうか。

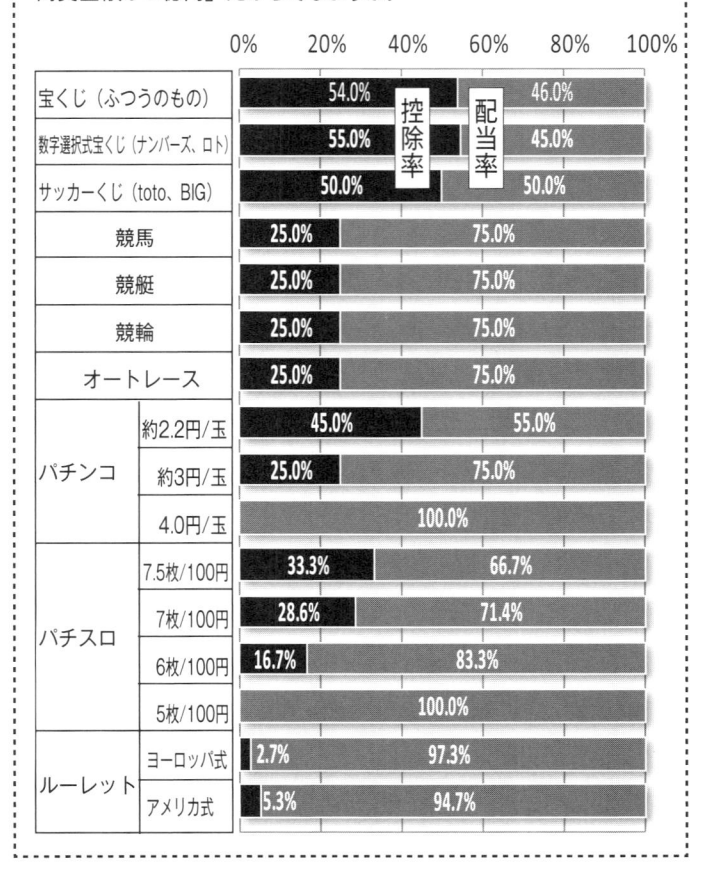

		控除率	配当率
宝くじ（ふつうのもの）		54.0%	46.0%
数字選択式宝くじ (ナンバーズ、ロト)		55.0%	45.0%
サッカーくじ (toto、BIG)		50.0%	50.0%
競馬		25.0%	75.0%
競艇		25.0%	75.0%
競輪		25.0%	75.0%
オートレース		25.0%	75.0%
パチンコ	約2.2円/玉	45.0%	55.0%
パチンコ	約3円/玉	25.0%	75.0%
パチンコ	4.0円/玉		100.0%
パチスロ	7.5枚/100円	33.3%	66.7%
パチスロ	7枚/100円	28.6%	71.4%
パチスロ	6枚/100円	16.7%	83.3%
パチスロ	5枚/100円		100.0%
ルーレット	ヨーロッパ式	2.7%	97.3%
ルーレット	アメリカ式	5.3%	94.7%

第3章

確率分布は計算を楽にする

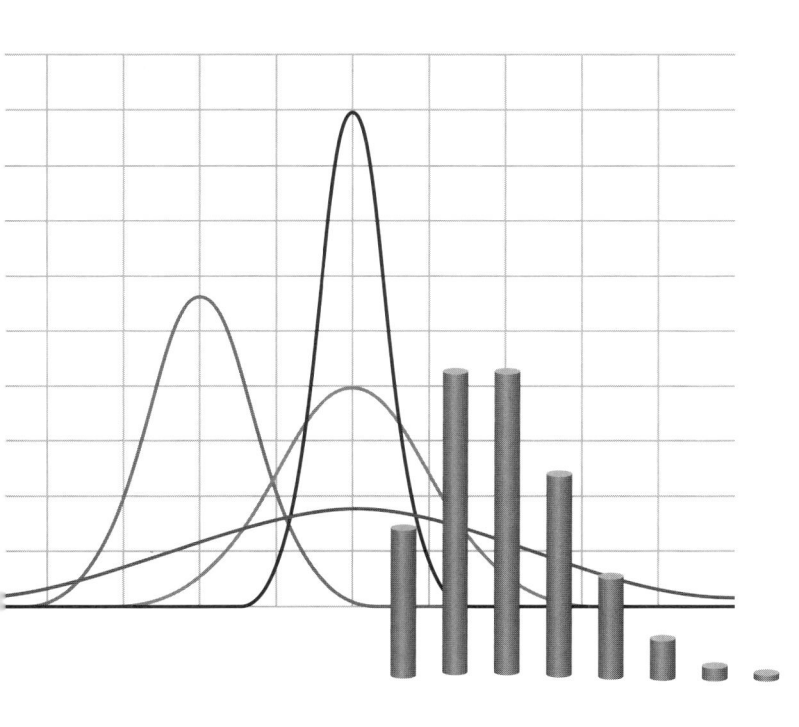

1 もっとも簡単な確率分布

●確率分布とは何か

第1章・第2章でもかなり断りなしに、「分布」や「確率分布」という用語を使ってきたのですが、この概念をよく理解しておくと、使い勝手が非常によいので、ここでもう少し正式に解説しておきます。

確率分布の数学は、一定の形式にしたがっているから使いやすいといえます。そのため、一応「カタチから入る」必要があります。微分を使ってグラフの形状あるいは最大値・最小値を調べるには「増減表」という道具を使いましたが、確率の計算の場合にも確率分布表があったほうがわかりやすいことがあります。

確率分布とは「確率変数 $X=\{x_1, x_2 \cdots x_n\}$ に対する確率 $P(X=x)$ の関係」です。この確率分布は「$f(x) = P(X=x)$」という「確率密度関数」で表されます。同時に、確率変数Xの値が「ある値x以下の確率」を「$F(x) = P(X \leqq x)$」という関数で表し、これを「累積分布関数」と呼びます。累積分布関数は確率密度関

数の累計です(下段コラム参照)。

これらの関数の計算は、一般的には結構大変です。さらに、離散確率分布の場合は確率密度関数は単純な関数、累積分布関数はその級数になり、これらが連続確率分布になると、いずれの関数も積分計算が必要になります。

しかし、ほとんどの確率分布の確率密度関数と累積分布関数が、EXCELなどの表計算ソフトに用意されています。

いくつかの確率分布は「出来合いのレシピ」みたいな「公式」であり、これを使えば確率の計算が簡単になります。また、確率分布の平均と分散は理論的に計算できます。これも確率分布が便利な理由です。

■ 確率分布と確率分布表

● 確率分布　　確率変数　$X = x_1, x_2 \cdots x_n$,　$\Omega = \{x_1, x_2 \cdots x_n\}$

　　　　　　　事象の数　$n(x_i)$　$(i = 1, 2, \cdots n)$

　　　　　　　確率密度関数　$P(X = x_i) = \dfrac{n(x_i)}{n(\Omega)} = f(x_i)$

　　　　　　　累積分布関数　$F(x_i) = P(X \leq x_i) = \sum_{k=1}^{i} f(x_k)$

確率変数	x_1	x_2	x_i	x_n	
事象の数	$n(x_1)$	$n(x_2)$	$n(x_i)$	$n(x_n)$	$n(\Omega)$
確率密度関数	$f(x_1)$	$f(x_2)$	$f(x_i)$	$f(x_n)$	1
累積分布関数	$F(x_1)$	$F(x_2)$	$F(x_i)$	$F(x_n)$	

●2個のサイコロの目の合計の確率分布

これをまず、もっとも簡単な確率分布「2個のサイコロの目の合計」で理解してください。この例は、確率変数の数が多すぎず少なすぎず、かつ確率が等しい（等確率）事象の組合せという単純なものです。左頁のコラムに確率分布表とそのグラフを示します。

最上段の部分で確率分布を定義していますが、これは形式的なものです。最上段右側の表を見ながら、確率変数：2～12に対しての事象の数を数えて、事象の数の総計$6 \times 6 = 36$で割って確率密度関数を求めます。そしてその累計が累積分布関数です。これらをまとめて表にしたのが中段の確率分布表です。

●確率分布の確率密度関数と累積分布関数

これらの確率密度関数と累積分布関数は数式化することができますが、確率分布がかならずしもいつも完全な数式で表されているわけではありません。しかし数多くの確率分布は数式として表現されています。これらを本章で解説します。

94

■ サイコロ2個の目の合計の確率密度関数と累積分布関数

● 2個のサイコロの目の合計の確率分布

$X = x_1, x_2 \cdots x_{11}, \quad \Omega = \{x_1, x_2 \cdots x_{11}\}$

$x_i = n+1, \quad n(x_i) \quad (i = 1, 2, \cdots n)$

確率変数 $X = x_1, x_2 \cdots x_{11}$ と事象の数 $n(x_i)$ に対する確率密度関数と累積分布関数を下表にまとめます。なお、事象の数は右図で目の合計の数を数えれば得られます。

	1	2	3	4	5	6
1	2	3	4	5	6	7
2	3	4	5	6	7	8
3	4	5	6	7	8	9
4	5	6	7	8	9	10
5	6	7	8	9	10	11
6	7	8	9	10	11	12

● 2個のサイコロの目の合計の確率分布表

確率変数	2	3	4	5	6	7	8	9	10	11	12	合計
事象の数	1	2	3	4	5	6	5	4	3	2	1	36
確率密度関数	1/36	1/18	1/12	1/9	5/36	1/6	5/36	1/9	1/12	1/18	1/36	1
	0.028	0.056	0.083	0.111	0.139	0.167	0.139	0.111	0.083	0.056	0.028	1
累積分布関数	0.028	0.083	0.167	0.278	0.417	0.583	0.722	0.833	0.917	0.972	1.000	

● 確率密度関数と累積分布関数

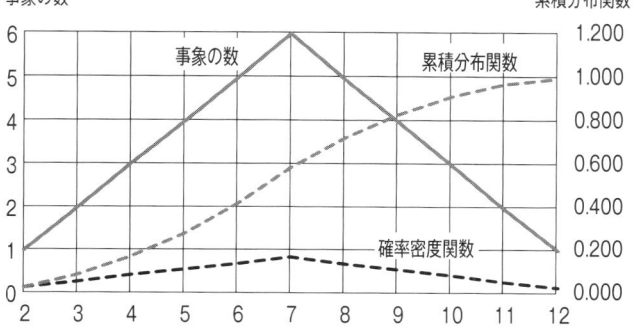

2個のサイコロの目の合計の確率分布表からグラフを描くと上のようになります。確率密度関数を積み重ねたものが累積分布関数です。

2 統計と確率における平均と分散はどう違う?

●平均や分散は統計と確率ではどう違う

統計の分野では平均といえば普通は「算術平均」(P16参照) を意味しますが、確率の分野ではこれを一般化し、確率を重みとした加重平均、すなわち「確率変数の期待値」を平均として定義します。同様に分散は「平均との差の平方の平均値」です。確率がすべて同一の場合は期待値は算術平均に一致し、確率論の平均や分散は、確率から計算したものなので、数多く測定すると確率論の平均や分散に近づいていきます。

●平均や分散の和や積はどう使う

確率分布の平均と分散が持つ性質を左頁下段コラムに示しました。独立した2つの確率分布にそれぞれ属する2つの確率変数の和や積（平均や分散も含む）が構成する

96

■ 確率論と統計学における平均と分散

統計量としての平均や分散は現実の値から算出したもの、確率論の平均や分散は、確率を使って計算した理論値です。

●確率論における平均と分散の定義　　●統計量としての平均と分散

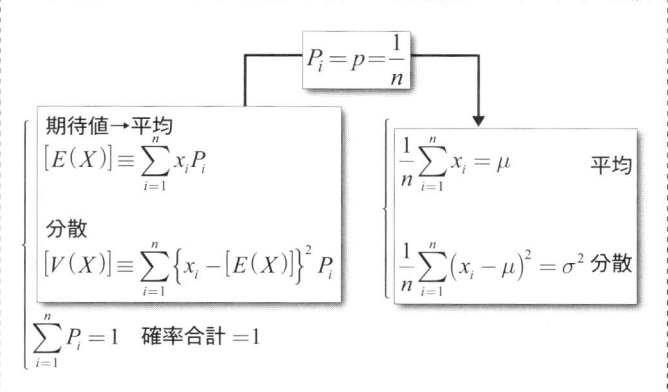

$$P_i = p = \frac{1}{n}$$

期待値→平均
$$[E(X)] \equiv \sum_{i=1}^{n} x_i P_i$$

分散
$$[V(X)] \equiv \sum_{i=1}^{n} \{x_i - [E(X)]\}^2 P_i$$

$$\frac{1}{n}\sum_{i=1}^{n} x_i = \mu \quad \text{平均}$$

$$\frac{1}{n}\sum_{i=1}^{n} (x_i - \mu)^2 = \sigma^2 \quad \text{分散}$$

$$\sum_{i=1}^{n} P_i = 1 \quad \text{確率合計} = 1$$

■ 一般の確率分布に適用できる平均と分散の定理

		平均	分散
平均と分散の関係		$V[X] = E[X^2] - E[X]^2$	
a, bが定数	一次式の展開	$E[aX+b] = aE[X] + b$	$V[aX+b] = a^2 V[X]$
XとYが独立	和	$E[X+Y] = E[X] + E[Y]$	$V[X+Y] = V[X] + V[Y]$
	積	$E[XY] = E[X]E[Y]$	$V[XY] = V[X]V[Y]$ $+ E[X]^2 V[Y] + E[Y]^2 V[X]$

確率分布の平均や分散について次のような簡単な規則が判明したことにより、期待値としての分散を平均に帰着できることが便利な点です。特に最初の関係は、期待値としての分散を平均に帰着できることが便利な点です。

○ 確率変数の分散は確率変数の2乗の期待値と平均の2乗の差である

以降の4つの関係は、以降でよく登場します。

○ 確率変数の和の平均の期待値は確率変数の期待値の平均の和である
○ 確率変数の和の分散の期待値は確率変数の期待値の分散の和である
○ 確率変数の定数倍の平均は確率変数の平均の定数倍である
○ 確率変数の定数倍の分散は確率変数の分散の定数の2乗倍である

これらの関係が、のちにいくつかの確率分布の性質の研究に役立ちます。これらの証明にはかなり複雑な計算が必要です。高校の教科書では厳密な計算が示されていなかったり、一部省かれたりしているのですが、左頁に、格別面倒な積の分散に関する計算だけは省略して、他の計算はすべて示しておきました。これらが難しすぎると思われた方は、結果だけを記憶にとどめてください。

98

■ 平均と分散の定理の確認

○ 分散を平均で表す

$$[V(X)] = \sum_{i=1}^{n}\{x_i - [E(X)]\}^2 P_i = \sum_{i=1}^{n} x_i^2 P_i - 2[E(X)]\underbrace{\sum_{i=1}^{n} x_i P_i}_{[E(X)]} + [E(X)]^2 \underbrace{\sum_{i=1}^{n} P_i}_{1}$$

$$= [E(X^2)] - [E(X)]^2$$

$$[E(X)] \equiv m \to [V(X)] = [E(X^2)] - m^2$$

○ 一次式の展開（分散の展開には平均で表した分散の式を利用する）

$$[E(aX+b)] = \sum_{i=1}^{n}(ax_i+b)P_i = a\sum_{i=1}^{n} x_i P_i + b\sum_{i=1}^{n} P_i = a[E(X)] + b = am + b$$

$$[V(aX+b)] = [E\{(aX+b)^2\}] - [E(aX+b)]^2$$
$$= [E(a^2 X^2 + 2abX + b^2)] - (a[E(X)] + b)^2$$
$$= a^2[E(X^2)] + 2ab[E(X)] + b^2 - (a^2 m^2 + 2abm + b^2)$$
$$= a^2([E(X^2)] - m^2) = a^2[V(X)]$$

○ 独立した2つの確率分布の確率変数の和と積の平均は各々の平均の和と積

$$[E(X+Y)] = \sum_{i=1}^{n}\sum_{j=1}^{n}(x_i + y_j)P_{ij}$$

$$\left(P_{ij} = P_i P_j, \quad \sum_{i=1}^{n}\sum_{j=1}^{n} P_{ij} = 1, \quad \sum_{i=1}^{n} P_{ij} = P_j, \quad \sum_{j=1}^{n} P_{ij} = P_i,\right)$$

$$= \sum_{i=1}^{n}\sum_{j=1}^{n} x_i P_{ij} + \sum_{i=1}^{n}\sum_{j=1}^{n} y_j P_{ij} = \sum_{i=1}^{n} x_i\left(\sum_{j=1}^{n} P_{ij}\right) + \sum_{j=1}^{n} y_j\left(\sum_{i=1}^{n} P_{ij}\right)$$

$$= \sum_{i=1}^{n} x_i P_i + \sum_{j=1}^{n} y_j P_j = [E(X)] + [E(Y)]$$

$$[E(XY)] = \sum_{i=1}^{n}\sum_{j=1}^{n} x_i y_j P_{ij} = \sum_{i=1}^{n}\sum_{j=1}^{n} x_i y_j P_i P_j = \sum_{i=1}^{n} x_i P_i \sum_{j=1}^{n} y_j P_j = [E(X)][E(Y)]$$

○ 独立した2つの確率分布の確率変数の和の分散は各々の分散の和

$$[V(X+Y)] = [E\{(X+Y)^2\}] - [E(X+Y)]^2$$
$$= [E(X^2)] + 2[E(XY)] + [E(Y^2)] - \{[E(X)] + [E(Y)]\}^2$$
$$= ([E(X^2)] - [E(X)]^2) + ([E(Y^2)] - [E(Y)]^2) + 2([E(XY)] - [E(X)][E(Y)])$$
$$= [V(X)] + [V(Y)]$$

独立した2つの確率分布の確率変数の積の分散も計算できるが、複雑なので省略

99　第3章　確率分布は計算を楽にする

3 母集団・標本と平均・分散の関係

●母集団と標本とは何か

 前章までは、簡単に説明するために、平均や分散を単なるデータの集まりの平均と分散として説明してきましたが、確率分布や推定・検定などを説明するには、どうしても「母集団と標本の関係」を認識する必要があるので、本節からこの点も含めて解説します。平均や分散などの統計的なデータは、それが取り出された母集団に属するものです。

 集団を構成する要素の数が大きい場合は、すべての要素のデータを取得するのは大変なので、その一部の要素のデータを取り出して考えざるを得ません。われわれが知識や情報を得たいと考えている対象全体を「母集団」といい、母集団から取り出した一部のサンプルを「標本」と呼びます。そして母集団から標本を取り出す手続きを「抽出」といいます。たとえば毎日何百万個も製造している製品の品質を全量検査していては出荷が追い付きません。そこで標本を抽出して検査し、それによって製品全体の

100

いま、いちばん元気な新書

ベストセラー続出!

じっぴコンパクト新書

JIPPI Compact

新書ワイド判・定価800円(税込)〜

103 ニュートリノと宇宙創生の謎

相対性理論は正しいのか？
最先端の宇宙物理学や
量子学の課題をわかりやすく紹介する。

佐藤勝彦 監修
編集工房スーパーノヴァ

ニュートリノは本当に光より速いのか？

978-4-408-10925-1

104 日本人なら知っておきたい 名字のいわれ・成り立ち

世界一多い日本人の名字はどう発祥してきたのか？
都道府県別の大姓が物語る歴史とは？

大野敏明 著
978-4-408-10923-7

107 驚いた！知らなかった 日本国境の新事実

日本の領有権を守る南海の孤島の現実とは？
常識が覆す我が国のシマをめぐるエピソード。

山田吉彦 著
978-4-408-10934-3

109 血脈の日本史
系図で読み解く骨肉の争い

謀反、お家騒動など、事件の裏には
登場人物の家系に問題がある?!
系図で読み解く日本史。

小和田哲男 監修
978-4-408-45387-3

102 体が元気になる 「食べ合わせ」88

老化を防ぎ、美容効果も期待できる
食材の組み合わせとは？
役立つレシピとヒントを満載。

症状別

飯塚律子 著
978-4-408-45379-8

006 知らなかった！驚いた！日本全国「県境」の謎
なぜそこに県境があるのか？マスコミで話題沸騰、面白エピソード満載の大ベストセラー！
浅井建爾 著
978-4-408-10712-7

014 「もう疲れた」と思ったときに読む本
仕事も家庭も大変だけど、読めば心が軽くなる――人生の達人、モタさん流「心のゆとり」の作り方。
斎藤茂太 著
978-4-408-42002-8

024 なぜ『日本書紀』は古代史を偽装したのか
古代史のカギを握る『日本書紀』の内容は、でっち上げだった?! その真相をえぐる問題の書。
関 裕二 著
978-4-408-10745-5

069 意外と知らない「古都」の歴史を読み解く！京都「地理・地名・地図」の謎
古代から現代まで京都の意外な真実を地図や地名からわかりやすく見せる歴史エッセンス。
森谷尅久 著
978-4-408-45296-8

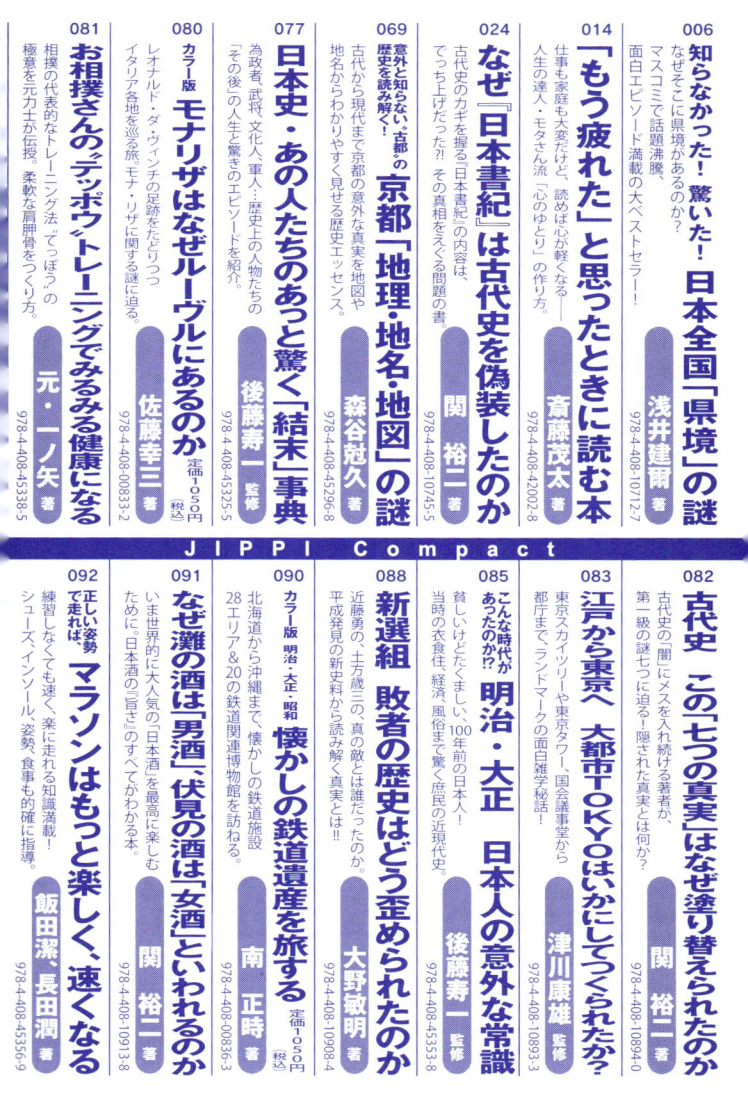

077 日本史・あの人たちのあっと驚く「結末」事典
為政者、武将、文化人、軍人、歴史上の人物たちの「その後」の人生と驚きのエピソードを紹介。
後藤寿一 監修
978-4-408-45325-5

080 カラー版 モナリザはなぜルーヴルにあるのか
レオナルド・ダ・ヴィンチの足跡をたどりつつイタリア各地を巡る旅。モナ・リザに関する謎に迫る。
佐藤幸三 著
978-4-408-00833-2
定価1050円(税込)

081 お相撲さんの"テッポウ"トレーニングでみるみる健康になる
相撲の代表的なトレーニング法、"てっぽう"の極意を元力士が伝授。柔軟な肩胛骨をつくり方。
元・一ノ矢 著
978-4-408-45338-5

JIPPI Compact

---

082 古代史 この「七つの真実」はなぜ塗り替えられたのか
古代史の「闇」にメスを入れ続ける著者が、第一級の謎七つに迫る・隠された真実とは何か
関 裕二 著
978-4-408-10894-0

083 江戸から東京へ 大都市TOKYOはいかにしてつくられたか？
東京スカイツリーや東京タワー、国会議事堂から都庁までランドマークの面白雑学秘話！
津川康雄 監修
978-4-408-10893-3

085 明治・大正 日本人の意外な常識
貧しいけどたくましい、100年前の日本人！当時の衣食住、経済、風俗まで驚く庶民の近現代史
後藤寿一 監修
978-4-408-4533-8

088 新選組 敗者の歴史はどう歪められたのか
近藤勇の、土方歳三の、真の敵は誰だったのか。平成発見の新史料から読み解く真実とは‼
大野敏明 著
978-4-408-10908-4

090 カラー版 明治・大正・昭和 懐かしの鉄道遺産を旅する
北海道から沖縄まで、懐かしの鉄道施設28エリア&20の鉄道関連博物館を訪ねる。
南 正時 著
978-4-408-00836-3
定価1050円(税込)

091 なぜ灘の酒は「男酒」伏見の酒は「女酒」といわれるのか
いま世界的に大人気の「日本酒」を最高に楽しむために。「日本酒」の「旨さ」のすべてがわかる本。
関 裕二 著
978-4-408-10913-8

092 正しい姿勢で走れば、マラソンはもっと楽しく、速くなる
練習しなくても速く、楽に走れる知識満載！シューズ、インソール、姿勢、食事も的確に指導。
飯田潔、長田潤 著
978-4-408-4336-9

020 英語対訳で読む日本の歴史
中西康裕 監修 Gregory Patton 訳
978-4-408-10740-0

意外に面白い！簡単に理解できる！
「中学レベルの英語」で、「日本史」がここまで説明できる！
歴史も英語も好きになる本。

045 英語対訳で読む日本のしきたり
新谷尚紀 監修 Andrew P.Bourgelais 訳
978-4-408-10774-5

伝えたい"ニッポンの心"!
やさしい英語で、"和"の真髄がここまで表現できる！
日本人にも外国人にも大評判の書。

055 英語対訳で読む科学の疑問
松森靖夫 監修 古家貴雄 訳
978-4-408-10834-6

素朴な「?」がよくわかる！
初級英語レベルの構文で科学のハテナに懇切丁寧に答えます。思わず誰かに話したくなる！

058 英語対訳で読む世界の歴史
綿田浩宗 監修 Lee Stark 訳
978-4-408-10838-4

流れがわかる！すんなり通じる！
好評シリーズ、世界史の出来事・戦争・事件が中学レベルの英語で読める！
マンガも充実。

079 英語対訳で読む禅入門
尾関宗園 監修 Elizabeth Mills 訳
978-4-408-10890-2

むずかしい教えがスッキリわかる！
グローバルな広がりを見せる禅宗の世界観を初級英語で解説した初の日・英対訳書。

087 英語対訳で読む日本の美しい「こころ」
荻野文子 監修 Elizabeth Mills 訳
978-4-408-10905-3

世界に正しく伝えたい！
日本人の"魂"の根源はどこにあるのか──
日英対訳ですばらしい日本を再発見できる本。

105 英語対訳で読む日本の名作
山尾あすか 監修 Shani Tobias 訳
978-4-408-10927-5

書き出しとあらすじだけでよくわかる！
読んでおきたい、読ませたい珠玉の日本文学作品の冒頭と内容を英語ダイジェストで楽しめる。

JIPPI Compact

093 暮らしの中で知っておきたい 気象のすべて
ハレックス 監修
978-4-408-45360-6

台風、集中豪雨、干ばつなど、多発する異常気象に備える、生活に役立つ気象の基礎知識。

094 学校では習わない 愛と夜の日本史スキャンダル
堀江宏樹 著
978-4-408-45362-0

歴史上の有名人たちの恋愛や夫婦生活、醜聞……表だって語られない男と女の日本史に迫る！

095 平家物語 マンガとあらすじでよくわかる
関 幸彦 監修
978-4-408-45363-7

平清盛は本当に悪人か？ 源平の二大派閥はどう生まれたのか？ 横山光輝の絵と図版で紹介。

096 王者たちの素顔〜スターゴルファーの苦悩と歓喜
舩越園子 著
978-4-408-33000-6

ウッズやマキロイら、PGAツアーで活躍するトッププロの生の姿を、人気コラムニストが伝える。

097 知れば知るほど面白い 戦国武将
二木謙一 著
978-4-408-45364-4

天下統一まで下剋上の時代を戦い抜いた武将たちの勢力図や合戦データを明確に分析する。

099 古代史 闇に隠された15の「謎」を解く！
福田智弘 著
978-4-408-10922-0

教科書よりわかりやすく面白い！
知られざる古代史の大きなながれを、わかりやすくスリリングに読み解く、古代史通になれる一冊。

100 知れば知るほど面白い 徳川将軍十五代
大石 学 監修
978-4-408-45369-9

「徳川の平和」を築いた世襲の政権基盤とはどういうものだったのか？ 265年の統治の秘訣。

理数系が楽しくなる！ 京極一樹の本

京極一樹

08 ちょっとわかればこんなに役に立つ　978-4-408-45385-9
中学・高校化学のほんとうの使い道
注目の放射性物質や酸化還元など、生活に大きくかかわる化学の基本をわかりやすく詳説！

01 ちょっとわかればこんなに役に立つ　978-4-408-45380-4
統計・確率のほんとうの使い道
エクセルや表計算ソフトなどの背景にある統計の解析術の本質を、わかりやすく解説する！

076 ちょっとわかればこんなに役に立つ　978-4-408-45322-4
中学・高校数学のほんとうの使い道
実社会において、中学・高校で学ぶ数学が「どこでどのように使われているか」をわかりやすく解説。

086 ちょっとわかればこんなに役に立つ　978-4-408-45351-4
中学・高校物理のほんとうの使い道
生活に直結している物理理論の面白さを紹介。実用的な使い道を知れば苦手意識もなくなる！

70 いまだから知りたい　978-4-408-45298-2
元素と周期表の世界
液晶テレビ・携帯電話・ハイブリッド自動車などで注目集めるレアメタル等、元素の最新事情。

韓流時代劇がわかりやすい！　康 熙奉の本

康 熙奉（カン ヒボン）

84 知れば知るほど面白い　978-4-408-10899-5
朝鮮王朝　歴史と人物
チャングムやトンイなど韓流時代劇を10倍楽しめる史実読み物。歴代27人の王の逸話を満載。

89 知れば知るほど面白い　978-4-408-10912-1
古代韓国の歴史と英雄
建国から三国・高麗時代まで。古代朝鮮半島の歴史を描く韓流時代劇が楽しくなる史実読み本。

98 知れば知るほど面白い　978-4-408-10921-3
朝鮮王宮　王妃たちの運命
朝鮮王朝期の42人の王妃の足跡をたどり、系譜と人物相関図で徹底紹介する「大奥物語」。

06 もっと知りたい　康 熙奉 監修　西牟田希 著　978-4-408-10932-9
韓国時代劇　史実とロマンス
人気韓国ドラマの名場面名セリフから、人物像や時代背景を読み解いていく、ファン必読書。

実業之日本社
〒104-8233　東京都中央区京橋 3-7-5　京橋スクエア 11F
電話 03-3535-4441（販売本部）　http://www.j-n.co.jp/

【ご購入について】お近くの書店でお求めください。書店にない場合は小社受注センター
（電話 048-478-0203）にご注文ください。代金引換宅配便でお届けします。　2012年3月現在

性質を評価します。

したがってこのあたりの統計学は非常に便利なのですが、反面統計学では文字や記号が非常に多く、また「書籍によって使う記号がバラバラ」であることが極めて厄介です。この問題点は統計学会か何かで統一してほしいものです。

たとえば標本分散や標本標準偏差は、書籍によって2種類の定義があり、このあいまいさが解消される動きがまったくありません。どうかすると、下に示す不偏分散を標本分散と定義する書籍もあるくらいです。

■ 母集団と標本の関係

母集団
母平均：μ
母分散：σ^2

標本
標本平均：m
標本分散：s^2

推測（推定・検定）

抽出

$\mu = \dfrac{1}{n}\sum_{i=1}^{n} x_i$ 母平均

$\sigma^2 = \dfrac{1}{n}\sum_{i=1}^{n}(x_i - \mu)^2$ 母分散

$m = \dfrac{1}{N}\sum_{i=1}^{N} x_i$ 標本平均

$s^2 = \dfrac{1}{N}\sum_{i=1}^{N}(x_i - m)^2$ 標本分散

$u^2 = \dfrac{1}{N-1}\sum_{i=1}^{N}(x_i - m)^2$ 不偏分散

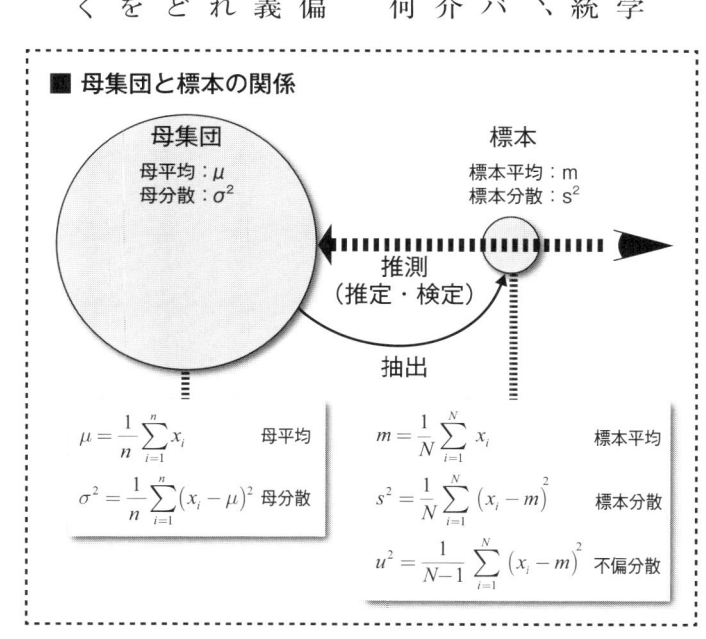

なお本書では、これも解説をわかりやすくすることを目的として、母集団と標本のデータを表す記号には異なる記号を使用し、平均と分散にはかならず母集団を示す「母」か「標本」を頭に付けて表記します。

●標本から母集団の性質を推測する

標本は母集団のほんの一部にすぎないので、標本から得られる情報にもとづいて母集団の性質を推測しようとすると、いろいろと問題が生じます。このあたりを理解して使いこなすことが統計学のキーポイントです。標本の平均や分散の期待値を求めて、これが母平均や母分散に一致すれば、標本から母集団の性質を知ることができます。まず標本の平均を求めると、次のことがわかります。

○標本平均は母平均に一致し、その分散は母分散を標本数で割った値となる

左頁に、標本の平均とその分散の計算結果を示します。標本をみた場合、これは母集団の一部に過ぎないので、当然ながら標本平均の分散は母集団の分散より小さくなります。それが分母に標本数として現れます。

102

■ 標本平均とその分散の計算

母集団に対して平均と分散を $\begin{cases} \mu = \dfrac{1}{n}\sum_{i=1}^{n} x_i \\ \sigma^2 = \dfrac{1}{n}\sum_{i=1}^{n}(x_i - \mu)^2 \end{cases}$ と定義し、

そこから取り出した標本 $\{X_i; i=1,2,\cdots,N(\ll n)\}$ は $\begin{cases} E[X_i] = \mu \\ V[X_i] = \sigma^2 \end{cases}$ を満たします。

その標本に対して平均と分散を $\begin{cases} m = \dfrac{1}{N}\sum_{i=1}^{N} X_i \\ s^2 = \dfrac{1}{N}\sum_{i=1}^{N}(X_i - m)^2 \end{cases}$ と定義します。

標本平均 $\bar{X} = \dfrac{1}{N}\sum_{i=1}^{N} X_i = m$ の期待値を計算します。

$$E[\bar{X}] = E\left[\frac{1}{N}\sum_{i=1}^{N} X_i\right] = \frac{1}{N}\sum_{i=1}^{N} E[X_i] = \frac{1}{N} \cdot N\mu = \mu$$

標本平均の期待値が母平均に一致するので、標本平均から母平均を知ることができます。同様に標本平均の分散の期待値を計算します（P.97 参照）。

$$V[\bar{X}] = V\left[\frac{1}{N}\sum_{i=1}^{N} X_i\right] = \frac{1}{N^2} V\left[\sum_{i=1}^{N} X_i\right] = \frac{1}{N^2}\sum_{i=1}^{N} V[X_i] = \frac{1}{N^2} \cdot N\sigma^2 = \frac{\sigma^2}{N}$$

標本平均の分散の期待値は、母分散を標本数で割った値になります。標本数が母集団の数より非常に少ないのですからこれは当然です（下図参照）。標本平均の分散の期待値からも母分散を知ることができます。

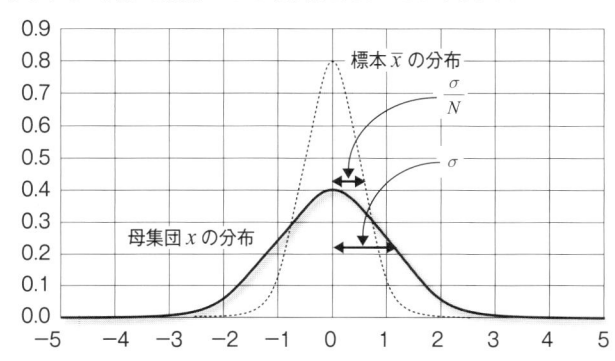

103　第3章　確率分布は計算を楽にする

次に、標本の分散を求めます。もっとも大事な性質は、次の性質です。

○標本分散ではなく不偏分散が母分散に一致する

これらを確認するには、不偏分散の期待値が母分散に一致することを計算で示します。その前に「不偏分散」の説明が必要でしょう。標本分散は偏差平方和を標本数n（またはNで表記）で割りますが、不偏分散は偏差平方和を（n－1）で割ったものです。「不偏」とは、「unbiased」（偏っていない）、「母集団の性質を表す」という意味です。

たとえば、標本数が1の場合、バラツキはないので標本分散が必ず0となりますが、母集団のバラツキは普通0ではなく、標本分散は母分散とは一致せず、かならず少し小さくなります。その原因には「自由度」が関係しています。標本の自由度は標本数nのはずですが、別に平均が計算されているので標本分散の自由度は（n－1）です。したがって、偏差平方和は（n－1）で割らなければならないのです。

この計算は結構複雑なのですが、「分散が2種類ある」とか「分散を求めるのに標本数で割った平均ではいけない」とか、若干センセーショナルな話題ですので、左頁にその計算過程を示します。「どうして？」が1つでも消えることを期待します。

104

■ 標本分散の計算と不偏分散の導入

標本分散 $s^2 = \dfrac{1}{N}\sum_{i=1}^{N(\ll n)}(X_i - m)^2$ の期待値を計算します。その前に標本分散の関係式を整理します（ここでは標本数：N、母集団の数：n、とする）。

$$\sum_{i=1}^{N}(X_i - m)^2 = \sum_{i=1}^{N}\left\{X_i^2 - \frac{2}{N}X_i\sum_{i=j}^{N}x_i + \left(\frac{1}{N}\sum_{i=1}^{N}x_i\right)^2\right\}$$

$$= \sum_{i=1}^{N}\left\{X_i^2 - 2X_i m + m^2\right\} = \sum_{i=1}^{N}X_i^2 - 2m\sum_{i=1}^{N}X_i + m^2\sum_{i=1}^{N}1 = \sum_{i=1}^{N}X_i^2 - m^2$$

したがって、次の関係式が得られます。

$$E[s^2] = E\left[\frac{1}{N}\left(\sum_{i=1}^{N}X_i^2 - m^2\right)\right] = \frac{1}{N}\left\{\sum_{i=1}^{n}E[X_i^2] - Nm^2\right\} = \frac{1}{N}\sum_{i=1}^{n}E[X_i^2] - m^2$$

最後の式の要素は次のように整理できます。μとσを使って整理するために母平均μとの偏差平方和で整理し、母平均と母分散で表現します。

$$E[X_i^2] = E\left[(X_i - \mu)^2 - \mu^2 + 2\mu X_i\right]$$
$$= E\left[(X_i - \mu)^2\right] - \mu^2 + 2\mu E[X_i] = \sigma^2 + \mu^2$$

$$m^2 = \bar{X}^2 = \left(\frac{1}{N}\sum_{i=1}^{N}X_i\right)\left(\frac{1}{N}\sum_{j=1}^{N}X_j\right)$$

$$= \frac{1}{N^2}\sum_{i=1}^{N}\left\{(X_i - \mu) + \mu\right\}\cdot\sum_{j=1}^{N}\left\{(X_j - \mu) + \mu\right\}$$

$$= \frac{1}{N^2}\left[\sum_{i=1}^{N}\sum_{j=1}^{N}(X_i - \mu)(X_j - \mu) + 2\mu\sum_{i=1}^{N}(X_i - \mu) + N^2\mu^2\right]$$

$$= \frac{1}{N^2}\left[\sum_{i=1}^{N}(X_i - \mu)^2 + \underbrace{\sum_{i\neq j}^{N}(X_i - \mu)(X_j - \mu)}_{\text{(この項は0になる。詳細略)}} + 2\mu\left\{\sum_{i=1}^{N}X_i - N\mu\right\} + N^2\mu^2\right]$$

$$= \frac{\sigma^2}{N} + \frac{2\mu}{N}(\bar{X} - \mu) + \mu^2 = \frac{\sigma^2}{N} + \mu^2 \quad \text{ここで、母分散との差が生まれます。}$$

この計算の結果、標本分散の期待値は母分散には一致せず、標本数に依存する定数倍の差が発生します。

$$\therefore E[s^2] = \frac{1}{N}\left\{\sum_{i=1}^{n}(\sigma^2 + \mu^2) - N\left(\frac{\sigma^2}{N} + \mu^2\right)\right\} = \sigma^2 + \mu^2 - \left(\frac{\sigma^2}{N} + \mu^2\right) = \frac{N-1}{N}\sigma^2$$

次のように不偏分散を定義すると、その期待値が母分散と一致します。

$$u^2 = \frac{N}{N-1}\sum_{i=1}^{N}(X_i - \bar{X})^2 \Rightarrow E[u^2] = \frac{N}{N-1}E[s^2] = \sigma^2$$

4 標本分散と不偏分散の実際の計算例

●母集団と標本の平均と分散の比較

前節で面倒な話ばかり述べたので、本節では簡単な例で具体的に計算して説明します。まずは4つの標本から構成される母集団を考えます(左頁参照)。この例から、標本平均が母平均に、不偏分散が母分散に近いことがわかります。実際の標本では、平均も分散も母平均や母分散に完全には一致しません。これが一致するのは確率を用いた理論値であり、実測値の場合は標本の大きさ(標本を構成する要素の数)が十分大きいか、標本の数が十分多くなると、母平均や母分散にかなり近くなります。

●母分散と標本平均の分散の比較

次に標本平均の分散の期待値が母分散/標本数に一致する非常に簡単な例を紹介します。1から5までの数字が書かれた5枚のカードを母集団 $X=1、2、3、4、5$ として、まずこの数字の平均と分散を計算します(P108下段コラム参照)。平均

お手数ですが、ご意見をお聞かせください。

この本のタイトル		
お住まいの都道府県	お求めの書店	男 ・ 女　　歳

ご職業　　会社員　会社役員　自家営業　公務員　農林漁業
　　　　　医師　教員　マスコミ　主婦　自由業（　　　　　　）
　　　　　アルバイト　学生　その他（　　　　　　　　　　　）

本書の出版をどこでお知りになりましたか?
①新聞広告（新聞名　　　　　　　　　　）②書店で　③書評で　④人にすすめられて　⑤小社の出版物　⑥小社ホームページ　⑦小社以外のホームページ

読みたい筆者名やテーマ、最近読んでおもしろかった本をお教えください。

本書についてのご感想、ご意見（内容・装丁などどんなことでも結構です）をお書きください。

どうもありがとうございました

実業之日本社のプライバシー・ポリシー（個人情報の取扱い）は、
以下のサイトをご覧ください。http://www.j-n.co.jp/

郵便はがき

104-8233

お手数でも郵便切手をお貼りください

東京都中央区京橋3-7-5
京橋スクエア11F

実業之日本社

「愛読者係」行

ご住所 〒

お名前

メールアドレス

ご記入いただきました個人情報は、所定の目的以外に使用することはありません。

■ 標本の平均と分散の実際の計算例

下の表は、乱数を20個×5組発生させて5つの標本から1つの母集団を構成したものです。したがって、全体は100個の数値からなる母集団であり、標本1～標本5のそれぞれがその母集団の標本です。

最下段に平均、標本分散、不偏分散の計算結果を示します。いずれも完全に一致するわけではありませんが、各標本の平均は母集団の平均「5.09」に近く、標本分散（の平均「3.94」）より不偏分散（の平均「4.15」）の方が母分散「4.14」に近いことがわかります。

No.	母集団				
	標本1	標本2	標本3	標本4	標本5
1	0.78	6.69	2.38	4.31	4.14
2	7.13	3.33	4.19	2.65	4.92
3	8.01	5.47	3.24	4.31	4.33
4	9.36	2.41	7.03	8.44	3.54
5	1.29	7.24	6.83	5.50	6.87
6	5.45	1.88	5.47	8.95	7.73
7	3.52	3.33	2.38	6.67	5.57
8	5.88	5.97	5.13	4.84	4.32
9	5.83	6.63	7.83	6.57	4.95
10	7.21	5.58	3.03	4.59	5.44
11	6.76	6.89	5.60	5.10	2.40
12	6.14	6.10	-0.39	4.09	2.94
13	5.29	4.55	8.91	4.53	6.24
14	4.40	5.35	1.89	5.27	4.09
15	4.08	5.98	2.61	8.06	5.82
16	8.18	3.43	2.18	6.39	5.09
17	5.37	6.19	6.70	1.45	3.70
18	3.99	2.04	4.67	6.16	3.59
19	5.06	6.63	4.26	7.20	0.44
20	3.59	9.27	5.75	8.04	7.38

	母集団	標本1	標本2	標本3	標本4	標本5	標本の平均
平均	5.09	5.37	5.25	4.48	5.66	4.68	5.09
分散	4.14	4.46	3.62	5.20	3.57	2.87	3.94
不偏分散		4.69	3.81	5.47	3.76	3.02	4.15

が「3」であることは明らかで、母分散は「2」となります。

この母集団から2枚のカードを選んでつくる標本には $_5C_2 = 10$ 通りのパターンがあり、これらの標本の平均は7種類あり、7つの確率変数とそれらに対応する確率からなる1つの確率分布が生まれます（下段コラム参照）。

その確率分布を、母集団の確率分布と比較して図示すると下段グラフのようになります。表からもグラフからも、標本平均の分散が母分散より小さいことがわかると思います。

■ 母集団の平均と分散の計算

●母集団の平均と分散

$X = \{1, 2, 3, 4, 5\}$

$$\mu = \frac{1}{n}\sum_{i=1}^{n} x_i = \frac{1+2+3+4+5}{5} = 3$$

$$\sigma^2 = \frac{1}{n}\sum_{i=1}^{n}(x_i - \mu)^2 = \frac{(1-3)^2 + (2-3)^2 + (3-3)^2 + (4-3)^2 + (5-3)^2}{5}$$

$$= \frac{4+1+1+4}{5} = 2 \left[= \frac{1^2 + 2^2 + 3^2 + 4^2 + 5^2}{5} - 3^2 \right]$$

●10の標本とその平均と分散

No.	母集団	標本1	標本2	標本3	標本4	標本5	標本6	標本7	標本8	標本9	標本10
1	1	1	1	1	1	2	2	2	3	3	4
2	2	2	3	4	5	3	4	5	4	5	5
3	3										
4	4										
5	5										
標本平均	3	1.5	2	2.5	3	2.5	3	3.5	3.5	4	4.5
分散	2	0.25	1	2.25	4	0.25	1	2.25	0.25	1	0.25

■ 母集団から取った標本平均と分散の計算

● 標本平均が構成する標本空間

$$\bar{X} = \frac{1}{n}\sum_{i=1}^{n} X_i = \{1.5, 2, 2.5, 3, 3.5, 4, 4.5\} \qquad \bar{x} = 1.5, 2, 2.5, 3, 3.5, 4, 4.5$$

$$\begin{cases} P(\bar{X}=1.5) = P(\bar{X}=2) = \dfrac{1}{10} \\ P(\bar{X}=2.5) = P(\bar{X}=3) = P(\bar{X}=3.5) = \dfrac{2}{10} \\ P(\bar{X}=4) = P(\bar{X}=4.5) = \dfrac{1}{10} \end{cases}$$

確率変数	$\bar{X}$	1.50	2.00	2.50	3.00	3.50	4.00	4.50	合計
事象の数	$n(\bar{X})$	1	1	2	2	2	1	1	10
確率	$P(\bar{X})$	$\dfrac{1}{10}$	$\dfrac{1}{10}$	$\dfrac{2}{10}$	$\dfrac{2}{10}$	$\dfrac{2}{10}$	$\dfrac{1}{10}$	$\dfrac{1}{10}$	1.0
期待値	$E[\bar{X}]$	0.15	0.20	0.50	0.60	0.70	0.40	0.45	3.0
分散	$\bar{X}^2$	2.25	4.00	6.25	9.00	12.25	16.00	20.25	70.0
	$\bar{X}^2 P(\bar{X})$	0.23	0.40	1.25	1.80	2.45	1.60	2.03	9.75
	$V[\bar{X}]$	\multicolumn{7}{l}{$= [E(\bar{X}^2)] - [E(\bar{X})]^2 = 9.75 - 3^2$}	0.75

上の表の計算から、標本平均の期待値とその分散が次のように求まりました。

$$E[\bar{X}] = 3.0 \qquad V[\bar{X}] = 0.75$$

● 母集団と標本平均の分布の比較

標本平均の分散が母分散より小さいことは、下図からもわかると思います。

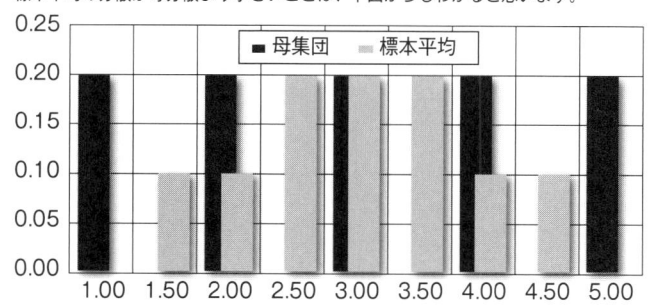

● 母集団の大きさと標本平均の分散との関係

ところで、P102の後ろから4行目でのべた結果に従えば、分散＝2の母集団から2個ずつの標本を抽出してつくった標本平均の分散は1となるのですが、ここにもう1つの事情が存在します。

P102でのべた結果は「標本の大きさが無限大の場合」あるいは「標本を抽出した後でそれをもとに戻す場合」（復元抽出）、すなわち毎回の「抽出」においてその確率が変化しない「ベルヌーイ試行」の場合に限られるものであり、5枚のカードから2枚のカードを選ぶ」というような、母集団の大きさに限りがある「有限母集団」での抽出（非復元抽出）に対しては、左頁の解説に示すように「有限母集団」が必要となります（詳細の解説は複雑なので省略）。そしてこの補正項を考慮した標本平均の分散は0・75となり、これが前頁の計算結果に一致します。

「標本平均は母平均に一致し標本分散は母分散／標本数」というルールは、正規分布にしたがう母集団に適用される上、十分大きな標本にも適用され「標本の数が十分大きければ正規分布に従っているとみなしてよい」ということが示されます。

■ 標本の平均・分散の母集団の大きさ

● 有限母集団の場合
平均 μ、分散 σ^2、大きさ n の有限母集団から抽出された大きさ N の標本の平均を $\bar{X}$ とすれば、

$$\bar{X} = \frac{1}{N}\sum_{i=1}^{N} X_i \quad E[\bar{X}] = \mu \quad V[\bar{X}] = \boxed{\frac{n-N}{n-1}} \cdot \frac{\sigma^2}{N}$$

　　　　　　　　　　　　　　　　有限母集団補正項 ↑

$V[\bar{X}] = \frac{n-N}{n-1} \cdot \frac{\sigma^2}{N} \xrightarrow{n \to \infty} \frac{\sigma^2}{N}$ であるから、次のことがいえます。

● 無限母集団の場合
平均 μ、分散 σ^2 の無限母集団から抽出された大きさ N の標本の平均を $\bar{X}$ とすれば、

$$\bar{X} = \frac{1}{N}\sum_{i=1}^{N} X_i \quad E[\bar{X}] = \mu \quad V[\bar{X}] = \frac{\sigma^2}{N}$$

○無限母集団の場合　　　$V[\bar{X}] = \frac{\sigma^2}{N} = \frac{2}{2} = 1$
　(復元抽出)

○有限母集団の場合　　　$V[\bar{X}] = \frac{n-N}{n-1} \cdot \frac{\sigma^2}{N} = \frac{5-2}{5-1} \cdot \frac{2}{2} = 0.75$
　(非復元抽出)

これを正規分布にしたがう正規母集団に拡張すると：
平均 μ、分散 σ^2 の正規分布 $N(\mu, \sigma^2)$ にしたがう母集団から抽出された大きさ N の標本の平均 $\bar{X}$ は正規分布 $N(\mu, \sigma^2/N)$ にしたがう。

● 中心極限定理
平均 μ、分散 σ^2、大きさ n の母集団から抽出された大きさ N の標本の平均 $\bar{X}$ は、n が十分大きければ、近似的に正規分布 $N(\mu, \sigma^2/N)$ にしたがう。

● n 個のサイコロを投げて出た目の合計の分布

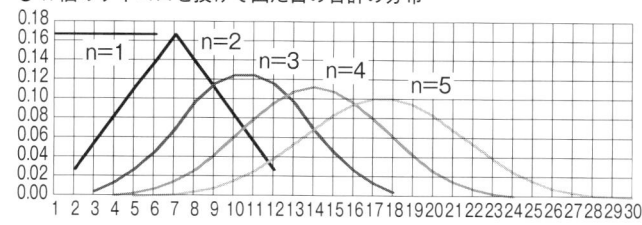

5 二項分布：もっとも簡単な確率分布

●サイコロをn回振った場合の確率分布

「サイコロを振る」という操作は、P54で述べたベルヌーイ試行であり、3回続けて6が出たからといって、次にどんな目が出るのかはまったくわかりません。しかし、

○サイコロをn回振ったときに特定の目が（k回）出る確率

はB（n、p）（p‥確率）で表される「二項分布」という特定の確率分布に従います。試行回数nと成功確率pを与えると、その試行回数と成功確率に対応するすべての目に共通の確率が得られます。これは、次の3つの確率の積で表される「二項係数」によって表現され、このことは一般的には「二項定理」とも呼ばれます。

○n回の試行において、k回成功する確率
○残りの（n−k）回の試行で失敗した確率‥（1−p）の（n−k）乗
○k回の成功がn回の試行の中のどこかで発生する組合せの数‥nCk（P62参照）

112

二項係数を理解するには「パスカルの三角形」が最適です。これは、P152で解説します。

二項分布の考え方を使えば、サイコロの「指定した目」が出る回数ごとの確率が簡単に得られます。一連の二項係数の合計が1になることは簡単に証明できます（下段コラム参照）。

代わりに幾何分布（P124参照）を使えば、n回の試行でx回失敗した目が出る確率を、負の二項分布を使えば、x回失敗した後にn回目の成功を実現する確率を得られます。このように確率分布は、必要なものを選んで使います。

なお、二項分布は、特にp＝1/2の時には形状が正規分布に似ており（次頁下段図参照）、またn→∞の際には正規分布に近づきま

■ 二項分布の確率と合計＝1の証明

● 二項分布

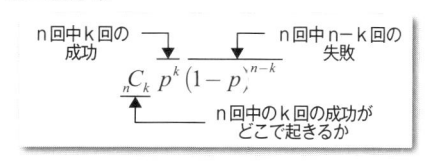

$$\underbrace{{}_nC_k}_{\text{n回中のk回の成功がどこで起きるか}} \underbrace{p^k}_{\text{n回中k回の成功}} \underbrace{(1-p)^{n-k}}_{\text{n回中n-k回の失敗}}$$

$${}_nC_k = \frac{n!}{(n-k)!k!}$$

● 二項分布の確率の合計

$$(x+y)^n = \sum_{k=0}^{n} {}_nC_k x^k y^{n-k}$$

これはよく知られた展開式ですが、ここで

$$\begin{cases} x = p \\ y = 1-p \end{cases} \text{とおくと } x+y=1 \text{ なので} \Rightarrow \sum_{k=0}^{n} {}_nC_k p^k (1-p)^{n-k} = 1 \text{ となります。}$$

す（P111、中心極限定理参照）。

● 三択式試験のヤマカン正答率

二項分布の一例として、たとえば、10問からなる三択式試験で、ヤマカンで解答を選んだ場合の正答数の数xごとの確率分布は「B(10、1/3)」で表されます。これは、P75で解説した、全問正答率：0.0017%、全問誤答率：1.7%）の例で、正答の数ごとに確率を計算することに相当します。この確率は、3つの数値の積で得られるので、内訳の3つの数値もまとめて左頁のグラフに示しました。

6問以上正答の確率は約7.7%ですが、3問以上正答の確率は80.1%もあります。決して無視できない割合ではありませんか？

■ 二項分布は成功確率が 1/2 に近づけば正規分布に近づく

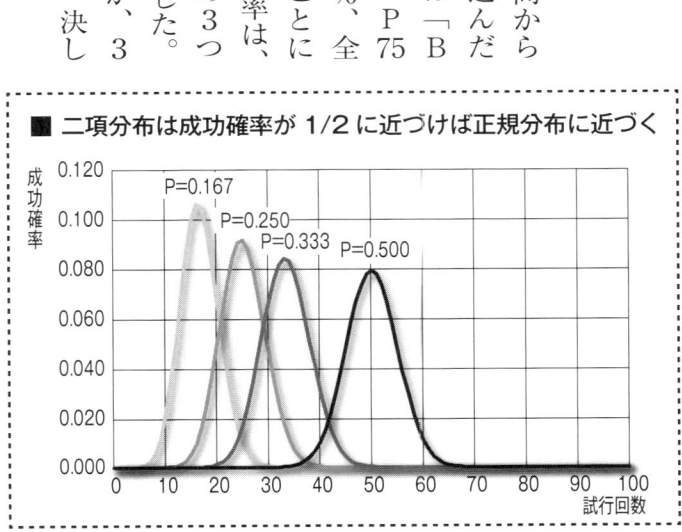

成功確率

P=0.167
P=0.250
P=0.333
P=0.500

試行回数

■ 三択式試験のヤマカン正答率：B (10, 1/3)

下表に、三択式（単問正答率：1/3）の試験（10 問）の正答数ごとの確率を示します。この場合、問題数が試行回数で正答数が成功回数です。正答数＝0 の確率は 1.7%、正答数＝1 の確率は 8.7%、正答数＝2 の確率は 19.5%なので、正答数 2 問以下の確率は合わせて 29.9%、したがって正答数 3 問以上の確率は 80.1%となります。同様に、正答数 5 問以下の確率は 92.3%なので、正答数 6 問以上の確率は 7.7%となります。

試行回数：n	出現回数：r										
10	0	1	2	3	4	5	6	7	8	9	10
nCi/nC5	0.004	0.04	0.179	0.476	0.833	1	0.833	0.476	0.179	0.04	0.004
$(1/3)^r$	$\frac{1}{1}$	$\frac{1}{3}$	$\frac{1}{9}$	$\frac{1}{27}$	$\frac{1}{81}$	$\frac{1}{243}$	$\frac{1}{729}$	$\frac{1}{2,187}$	$\frac{1}{6,561}$	$\frac{1}{19,683}$	$\frac{1}{59,049}$
	1.000	0.333	0.111	0.037	0.012	0.004	0.001	0.000	0.000	0.000	0.000017
	$\frac{1,024}{59,049}$	$\frac{512}{19,683}$	$\frac{256}{6,561}$	$\frac{128}{2,187}$	$\frac{64}{729}$	$\frac{32}{243}$	$\frac{16}{81}$	$\frac{8}{27}$	$\frac{4}{9}$	$\frac{2}{3}$	$\frac{1}{1}$
	0.017	0.026	0.039	0.059	0.088	0.132	0.198	0.296	0.444	0.667	1.000
確率	0.017	0.087	0.195	0.260	0.228	0.137	0.057	0.016	0.003	0.000	0.000017
累計	0.017	0.104	0.299	0.559	0.787	0.923	0.980	0.997	1.000	1.000	1.000

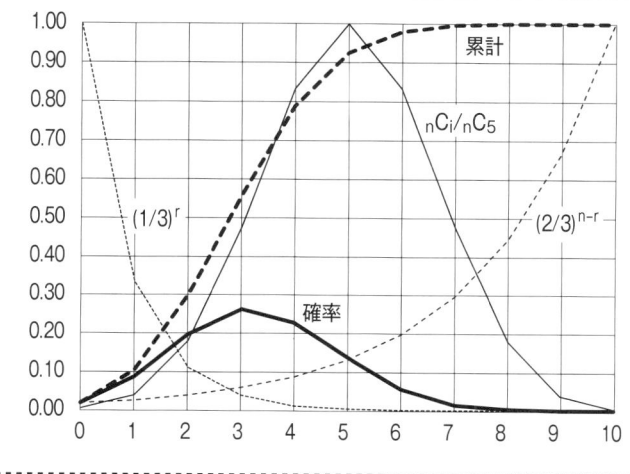

6 二項分布などの平均と分散を求める

●二項分布の平均と分散を求める

もっとも簡単な二項分布の平均と分散は、二項係数の変形からでも、前頁に示した性質からでも求めることもできます。参考のため、左頁にその計算を示しておきます。ある事象が確率pで起きる試行をn回繰り返して、その事象が起きる回数の平均値が「np」というのは納得できる話でしょう。これらは確率を利用して計算した理論値ですが、確率分布の特徴をよく表すものでもあります。

●その他の確率分布の平均と分散を求める

二項分布で、$np = \lambda$として、発生確率の少ない事象について確率と試行回数をかけ合わせた平均で確率をあつかうのがポアソン分布です。そして、ベルヌーイ試行では ない試行をあつかえるのが超幾何分布です。それぞれ便利な公式が用意されています。

■ 二項分布の平均と分散

平均 $[E(X)] = np$
分散 $[V(X)] = np(1-p)$

■ 二項分布の平均と分散の導出（参考）

●二項分布の平均
確率分布の平均の定義式に二項分布を代入します。

$$[E(X)] = \sum_{i=0}^{n} x_i P_i \quad \begin{cases} i = 0, 1, \cdots, n \to k = 0, 1, \cdots, n \\ x_i \to k \\ P_i \to {}_nC_k p^k (1-p)^{n-k} \end{cases}$$

$$[E(X)] = \sum_{k=0}^{n} k \cdot {}_nC_k p^k (1-p)^{n-k} = \sum_{k=1}^{n} k \cdot \frac{n!}{(n-k)!k!} p^k (1-p)^{n-k} \quad \begin{pmatrix} k=0 \text{ の} \\ \text{項は}=0 \end{pmatrix}$$

ここで確率変数 k が二項係数と約分されるので、初項＝0に注意して二項係数を再構成すると、確率の合計（＝1）が現れます。

$$= \sum_{k=1}^{n} \frac{n!}{(n-k)!(k-1)!} p^k (1-p)^{n-k} \xrightarrow[n-1=m]{k-1=l} \sum_{l=0}^{m} \frac{m+1!}{(m-l)!l!} p^{l+1} (1-p)^{m-l}$$

$$= (m+1)p \sum_{l=0}^{m} \frac{m!}{(m-l)!l!} p^l (1-p)^{m-l} = np \left\{ \sum_{l=0}^{m} {}_mC_l p^l (1-p)^{m-l} \right\} = np$$

同様の方法で分散を計算してもよいが、もっと簡単な方法があります。確率 p で 1、確率 1－p で 0 を返す「ベルヌーイ分布」という確率分布を考え、これを n 個合計すると二項分布になります。ベルヌーイ分布の平均と分散は次のとおり。

$$X = \{0, 1\} \begin{cases} P(1) = p \\ P(0) = 1-p \end{cases}$$

$$[E(X)] = 1 \cdot p + 0 \cdot (1-p) = p$$

$$[V(X)] = (1-p)^2 \cdot p + (0-p)^2 \cdot (1-p) = p(1-p)\{(1-p) + p\} = p(1-p)$$

この計算結果と、「2つの独立な確率分布から取り出した確率変数の和の確率分布の平均や分散は、元の確率分布の平均や分散の和」であることから、

$$X = \sum_{i=1}^{n} X_i \quad (X_i: \text{ベルヌーイ分布にしたがう確率変数})$$

$$\begin{cases} [E(X_i)] = p \\ [V(X_i)] = p(1-p) \end{cases} \Rightarrow \begin{cases} [E(X)] = \left[E\left(\sum_{i=1}^{n} X_i\right)\right] = \sum_{i=1}^{n} [E(X_i)] = np \\ [V(X)] = \left[V\left(\sum_{i=1}^{n} X_i\right)\right] = \sum_{i=1}^{n} [V(X_i)] = np(1-p) \end{cases}$$

これらが二項分布の平均と分散の期待値です。

7 二項分布はどう使う?

●保険外交員の収入の計算

前項で求めた二項分布の平均と分散の公式はいったい何に使うのか、という疑問を持つ方もおられるでしょう。そんな疑問を解消するため、具体例を計算してみます。

ある保険外交員は毎月平均60人の顧客にセールスを行い、平均して2割の確率で平均10万円の売上を上げて、その2割が歩合給として支払われます。この保険外交員の収入は、平均いくらでどれくらいのバラツキ(標準偏差)があるでしょうか。

こんな計算が二項分布の平均と分散の公式で解けてしまいます。まずは歩合給の平均を求めましょう。60人の2割に10万円を売り上げるので、月間平均売上は120万円、その2割が歩合給ですから24万円、と考えても解けますが、n回の交渉のうち確率2割で成功する二項分布 B(60, 0.2) にしたがう成約数Xに対して公式を使って、成約数の平均は $60 \times 0.2 = 12$ となり、これに平均売上10万円の2割の2万円をかけ

ると24万円と計算した方が簡単でしょう。ここで、分散は60×0.2×0.8＝9.6、その平方根は約3万円なので、歩合給24万円、標準偏差は約3万円となります。どうです。役に立つでしょう？

● **製品の不良品の割合の計算**

2項分布がビジネスでもっとも使われるのは工場で製造した製品の不良品の割合に関しての計算です。こんな例を考えてみましょう。

不良品率が3％の製品の、十分大きな数のユニットに対して抜き取り検査を行います。10個の抜き取り検査を行い不良品が見つかったらそのユニットは不合格、不良品がなかったら合格とします。そうするとこのようなユニットが100個あった場合、合格になるユニットはいくつでしょうか。

この場合、不良品の数は2項分布B（10、0.03）にしたがい、1つのユニットが合格する確率は0.97の10乗＝約74％となります。不良品率がこんなに低いのに、検査数量が大きいと、100ユニット中でわずか74ユニットしか合格しないことになります。

119　第3章　確率分布は計算を楽にする

8 二項分布から派生するさまざまな確率分布

●二項分布と正規分布

二項分布は有限の回数の試行に関する「離散確率分布」の代表例、正規分布は無限の回数の試行に関する「連続確率分布」の代表例です。二項分布と正規分布は、もっとも代表的な確率分布であり、高校数学ではここまでで終わりますが、実用的にはもう少し必要なので、本章でできる限りやさしく解説します。

●二項分布・正規分布から派生する確率分布

左頁に示すように、二項分布からは超幾何分布、負の二項分布・幾何分布とポアソン分布が派生します。数多く専門用語が並ぶのですが、ここでは「細分されている数学」は、「使いやすい数学」を意味します。よく使われる確率分布はこれで全部です。

正規分布は二項分布の試行回数が大きい極限として関連付けられ、指数分布は、離散確率分布であるポアソン分布の裏側に存在する連続確率分布です（P136参照）。

■ 二項分布から派生するさまざまな確率分布

たとえば二項分布の場合、確率分布としては B(n,p) と表記しますが、これを変数xも合わせて表示する場合は B(x;n,p) と表記します。下図には変数も合わせて表記しています。

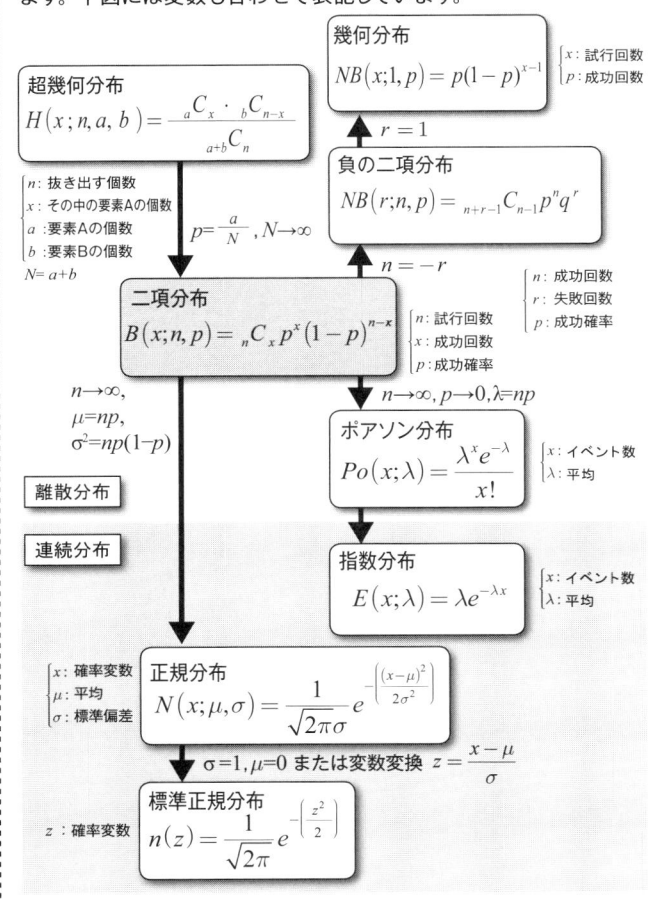

幾何分布
$$NB(x;1,p) = p(1-p)^{x-1}$$
x：試行回数
p：成功回数

超幾何分布
$$H(x;n,a,b) = \frac{{}_aC_x \cdot {}_bC_{n-x}}{{}_{a+b}C_n}$$
n：抜き出す個数
x：その中の要素Aの個数
a：要素Aの個数
b：要素Bの個数
$N = a+b$

$r = 1$

負の二項分布
$$NB(r;n,p) = {}_{n+r-1}C_{n-1} p^n q^r$$

$p = \frac{a}{N}, N \to \infty$

$n = -r$

二項分布
$$B(x;n,p) = {}_nC_x p^x (1-p)^{n-x}$$
n：試行回数
x：成功回数
p：成功確率

n：成功回数
r：失敗回数
p：成功確率

$n \to \infty, \mu = np, \sigma^2 = np(1-p)$

$n \to \infty, p \to 0, \lambda = np$

ポアソン分布
$$Po(x;\lambda) = \frac{\lambda^x e^{-\lambda}}{x!}$$
x：イベント数
λ：平均

離散分布

連続分布

指数分布
$$E(x;\lambda) = \lambda e^{-\lambda x}$$
x：イベント数
λ：平均

x：確率変数
μ：平均
σ：標準偏差

正規分布
$$N(x;\mu,\sigma) = \frac{1}{\sqrt{2\pi}\sigma} e^{-\left(\frac{(x-\mu)^2}{2\sigma^2}\right)}$$

$\sigma=1, \mu=0$ または変数変換 $z = \frac{x-\mu}{\sigma}$

標準正規分布
$$n(z) = \frac{1}{\sqrt{2\pi}} e^{-\left(\frac{z^2}{2}\right)}$$
z：確率変数

121　第3章　確率分布は計算を楽にする

●EXCELに用意されている確率分布関数

高校の数学でも標準偏差や分散の計算は「統計とコンピュータ」（数学B）であつかわれているように、統計や確率の計算にはパソコンが不可欠です。昔のように数値表と首っ引きで計算するのは時代遅れでしょう。特に確率分布では数値が重要であり、今までの解説でも計算にはEXCELを使ってきました。

左頁の表に、EXCELに用意されている、確率分布に関する関数の一覧表を示します。これらに関しては、次の3つの点に注意して利用してください。

○これらの関数では、関数によって確率密度関数と累積分布関数の片方または両方が用意されていて（左頁に表示）、両方用意されている場合には最後の引数［関数形式］で指定する。

○ベータ分布などでは古いバージョンでは確率密度関数が用意されておらず、微小な差分を使って累積分布関数から確率密度関数を導出する必要がある（微分操作）。

○ほとんどの関数は正規化（確率の合計を1にする）されているが、ベータ分布・ガンマ分布など、正規化されていない関数もある。

■ EXCELの関数の中の確率分布を表す関数

	EXCEL2007	確率密度	累積分布	EXCEL2010	確率密度	累積分布	関数の説明
二項分布	BINOMDIST	○	○	BINOM.DIST	○	○	二項分布
	CRITBINOM	×	○	BINOM.INV	×	○	二項分布の累積分布関数の値が基準値以上になる最小値
負の二項分布	NEGBINOMDIST	○	×	NEGBINOM.DIST	○	○	負の二項分布
超幾何分布	HYPGEOMDIST	○	×	HYPGEOM.DIST	○	○	超幾何分布
ポアソン分布	POISSON	○	○	POISSON.DIST	○	○	ポアソン分布
指数分布	EXPONDIST	○	○	EXPON.DIST	○	○	指数分布
正規分布	NORMDIST	○	○	NORM.DIST	○	○	正規分布
	NORMINV	×	○	NORM.INV	×	○	正規分布の累積分布関数の逆関数
標準正規分布	NORMSDIST	×	○	NORM.S.DIST	○	○	標準正規分布
	NORMSINV	×	○	NORM.S.INV	×	○	標準正規分布の累積分布関数の逆関数
対数正規分布	LOGNORMDIST	×	○	LOGNORM.DIST	○	○	対数正規分布
	LOGINV	×	○	LOGNORM.INV	×	○	対数正規分布の累積分布関数の逆関数
ベータ分布	BETADIST	×	○	BETA.DIST	○	○	ベータ分布
	BETAINV	×	○	BETA.INV	×	○	ベータ分布の累積分布関数の逆関数
ガンマ分布	GAMMADIST	○	○	GAMMA.DIST	○	○	ガンマ分布
	GAMMAINV	×	○	GAMMA.INV	×	○	ガンマ分布の累積分布関数の逆関数
ワイブル分布	WEIBULL	○	○	WEIBULL.DIST	○	○	ワイブル分布
カイ2乗分布	CHIDIST	×	○	CHISQ.DIST.RT	×	○	カイ2乗分布の上側確率
	CHIINV	×	○	CHISQ.INV.RT	×	○	カイ2乗分布の上側確率の逆関数
	CHITEST	—	—	CHISQ.TEST	—	—	カイ2乗検定
F分布	FDIST	×	○	F.DIST	×	○	F分布の上側確率
	FINV	×	○	F.INV	×	○	F分布の上側確率の逆関数
	FTEST	—	—	F.TEST	—	—	F検定（等分散検定）
t分布	TDIST	×	○	T.DIST.RT	×	○	スチューデントのt分布の両側確率
	TINV	×	○	T.INV.2T	×	○	スチューデントのt分布の両側確率の逆関数
	TTEST	—	—	T.TEST	—	—	スチューデントのt検定（等平均検定）

9 失敗の回数を考える幾何分布

●成功する前の失敗の関数を考える

二項分布の確率分布関数の中には、「特定の目が出る確率」と「その目が出ない確率」が両方組み込まれています。確率論ではよく「成功と失敗」という考え方をしますが、これらの言葉を使うと、「成功する確率」と「失敗する確率」が両方組み込まれることになります。この二項分布のしくみにおいて、

○成功する前に失敗する回数　　（→幾何分布）
○n回成功するまで失敗する回数　（→負の二項分布）
○n回成功するのに必要な試行回数（→負の二項分布）

というものを考えます。対象とするのは一定の成功率によるベルヌーイ試行、簡単にいえば「離散的な独立試行」です。これに使われるのが「幾何分布」や「負の二項分布」（パスカル分布）です。まずもっとも簡単なのが「成功するまで失敗する回数」を表す幾何分布であり、1回の成功をn回の成功に拡張したのが負の二項分布です。

● 成功する前の失敗回数

幾何分布は、「成功するまでに x 回失敗する確率」を表します。これは、先に (x−1) 回失敗した上で1回成功する確率なので、下段コラムに示す形式になります。

累積分布関数を求めるために確率密度関数を合計する計算式が「幾何級数」(等比級数、P18参照)になるのが幾何分布と言う名前の由来です。

■ 幾何分布；成功する前に失敗する回数の平均と分散（参考）

平均 $[E(X)] = \dfrac{1}{p}$ 、分散 $[V(X)] = \dfrac{1-p}{p^2}$

$$\begin{cases} P(x) = (1-p)^{x-1} p \quad (0 < p < 1, x = 1, 2, \cdots, n) \\ F(x) = \sum_{x=1}^{n}(1-p)^x p = p\sum_{x=1}^{n} q^x = p\dfrac{1-q^n}{1-q} = 1 - q^n \xrightarrow{n \to \infty} 1 \quad (1-p \equiv q) \end{cases}$$

幾何級数は無限級数となります。次のように、項の形から微分を考えます。

$$[E(x)] = \sum_{x=1}^{\infty} x p q^{x-1} = p\sum_{x=1}^{\infty} x q^{x-1} = p\sum_{x=0}^{\infty}\left[\dfrac{d}{dq}q^x\right] = p\dfrac{d}{dq}\left[\sum_{x=0}^{\infty} q^x\right]$$

$$= p\dfrac{d}{dq}\left[\dfrac{1}{1-q}\right] = \dfrac{p}{(1-q)^2} = \dfrac{1}{p}$$

平均の計算は簡単でしたが、分散の計算では2階微分が必要。初項が始まる番号に要注意。

$$[V(x)] = [E(x^2)] - [E(x)]^2, \quad [E(x^2)] = \sum_{x=1}^{\infty} x^2 p q^x$$

$$\dfrac{d^2}{d^2 q}\left[\sum_{x=1}^{\infty} q^x\right] = \sum_{x=2}^{\infty} x(x-1)q^{x-2} = \dfrac{d^2}{d^2 q}\left[\dfrac{1}{1-q}\right] = \dfrac{2}{(1-q)^3} = \dfrac{2}{p^3}$$

$$\therefore [E(x^2)] = p\left\{\sum_{x=1}^{\infty}\{x(x-1) + x\}q^x\right\} = pq\left[\sum_{x=2}^{\infty} x(x-1)q^{x-1}\right] + p\sum_{x=1}^{\infty} x q^x$$

$$= pq \cdot \dfrac{2}{p^3} + \dfrac{1}{p} = \dfrac{2q}{p^2} + \dfrac{1}{p} = \dfrac{2q + p}{p^2} = \dfrac{q+1}{p^2}$$

$$\therefore [V(x)] = [E(x^2)] - [E(x)]^2 = \dfrac{q+1}{p^2} - \left(\dfrac{1}{p}\right)^2 = \dfrac{q+1-1}{p^2} = \dfrac{q}{p^2} = \dfrac{1-p}{p^2}$$

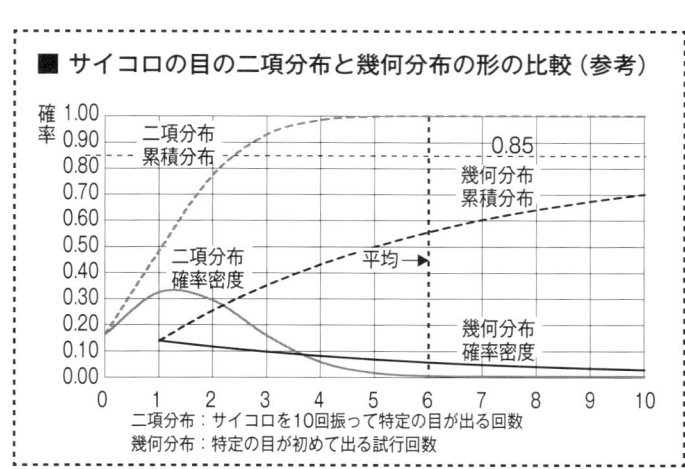

平均と分散も前頁下段に示すように求めることができます。ただしこの場合、成功するまでの試行回数が何回かは限界がないので、無限の試行回数までの総和を求めなければなりません。したがって幾何級数は無限級数となります。

● 幾何分布の応用例

幾何分布を適用するもっとも代表的な例は、

サイコロの1の目が初めて出る確率を、試行回数ごとに求めよ

というものでしょう。二項分布による確率は「n回の試行で1の目がr回出る確率」ですが、幾何分布による確率は「1の目が初めて出るまでの試行回数ごとの確率」です。右

■ サイコロの目の二項分布と幾何分布の形の比較（参考）

二項分布：サイコロを10回振って特定の目が出る回数
幾何分布：特定の目が初めて出る試行回数

126

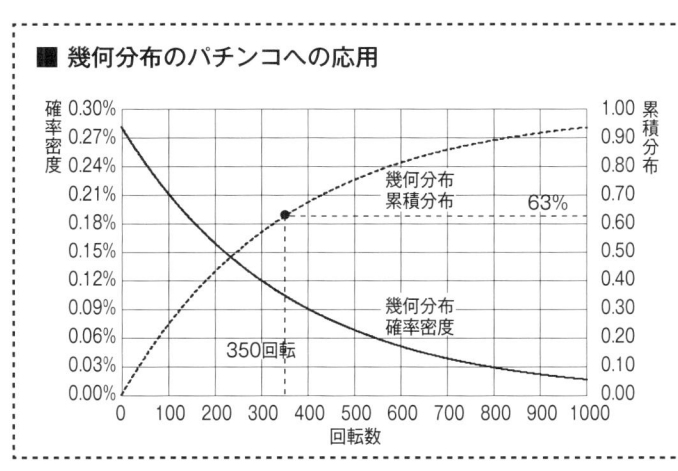

頁下段図に示した累積確率でみると、10回の試行までに1の目が初めて出る確率は、85％程度ということになります。確率1/6をP125下段コラムの公式に当てはめると、平均は6回、分散は30、標準偏差は5.5です。

幾何分布のもっともよい適用例は、パチンコで「大当たりまで何回転回せば当たるのか」という問題です。下図は大当たり確率を1/350とした場合のグラフです。

平均は確率の逆数の350回転ですが、そこまでの初あたりの確率は63％しかない、1000回回しても初あたりの確率は94％しかないということです。パチンコで勝つには、P87で述べたように、「確率に支配されない大当たりをとる」ことが必要です。

■ 幾何分布のパチンコへの応用

10 成功と失敗の回数を考える負の二項分布

●n回成功する前にr回失敗する回数

「負の二項分布」は、幾何分布を拡張したもので、

○n回成功するまでにr回失敗する確率

を計算する確率分布です。これは、

○n−1回の成功とr回の失敗の次の試行でn回目の成功を実現する確率

であり、さらに言い換えると、

○n+r−1回の試行でn−1回成功しr回失敗して次に成功する確率

です。この分布は「パスカル分布」とも呼ばれ、NB(r;n,p)などと表記されます。

この分布でn=1の場合が幾何分布に相当します。

二項分布において「n→n+r−1」の置き換えを行い、分布式をqの代わりに「1−q」で表して得られる式が二項分布の符号を反転したものと似ているために「負の二

128

項分布」の名前が付きました（下段コラム参照）。

また、負の二項分布にも2種類ありますが、変数を置き換えれば同一のものです。本書では後者を解説します。下段コラムに、それらの違いとそれぞれの場合の平均・分散を示しました。

●負の二項分布の応用例

幾何分布は「初めて成功するまでの試行回数ごとの確率」でしたが、負の二項分布で求めるのは「n回成功する

■ 負の二項分布には2種類ある

二項分布に次のような置き換えを施すと、総試行回数と成功数の代わりに成功数と失敗数を利用できる。

$$B(k;n,p) = {}_nC_k p^k (1-p)^{n-k} \xrightarrow[\substack{n \to n+r-1 \\ k \to n-1 \\ q=1-p}]{} NB(r;n,p) = {}_{n+r-1}C_{n-1} p^{n-1} q^r \cdot p$$

負の二項分布と称される理由は次のような変形が可能なため。

$$NB(r;n,p) = {}_{n+r-1}C_{n-1} p^n q^r = \frac{(n+r-1)!}{(n-1)!\,r!} p^n q^r$$

$$= \frac{\{(n-1)+r\}\{(n-2)+r\}\cdots r}{r!} p^n q^r$$

$$= \frac{\{-r-(n-1)\}\{-r-(n-2)\}\cdots(-r)}{r!} p^n q^r (-1)^r$$

$$= \frac{(-r)\cdots\{-r-(n-2)\}\{-r-(n-1)\}}{r!} p^n (-q)^r$$

$$= \frac{(-n)!}{(-n-r)!\,r!} p^n (-q)^r = {}_{-n}C_r p^n (-q)^r \quad \text{(←二項分布に類似した形式)}$$

●失敗回数に注目した確率分布（成功回数：n、失敗回数：x）

$$NB(x;n,p) = {}_{n+x-1}C_{n-1} p^n q^x \quad [E(X)] = \frac{n(1-p)}{p}, \quad [V(X)] = \frac{n(1-p)}{p^2}$$

●試行回数に注目した確率分布（成功回数：n、試行回数：x）

$$NB(x;n,p) = {}_{x-1}C_{n-1} p^n q^{x-n} \quad [E(X)] = \frac{n}{p}, \quad [V(X)] = \frac{n(1-p)}{p^2}$$

129　第3章　確率分布は計算を楽にする

までの試行回数ごとの確率」です。たとえば、「サイコロの1の目が3回出るのは、何回振った場合にどれくらいの確率か」というものです。これが幾何分布から負の二項分布への拡張です。この問題はNB(x ; 3, 1/6)（総試行回数＝x＋3）の場合に相当します。

●セールスマンのノルマ達成はいつか

負の二項分布は、たとえば次のような問題に適用できます。

セールスの交渉の勝率が2割のセールスマンのノルマが1カ月当たり商品10個である場合に、ノルマが消化できるのは何軒目の場合にどれくらいの確率か

このような確率分布の問題は具体例においてどの確率分布の適用が適しているかを見抜けるかどうかにかかっています。この問題はNB(x ; 10, 0.2)（総試行回数＝x＋10）の場合に相当します。そして、このように確率分布の適用だけで終わってしまうから確率分布は便利なのです。以上の問題の答えとグラフを左頁に示します。

130

■ 負の二項分布の応用例

●サイコロの1の目が3回出る総試行回数と確率

本項の負の二項分布は、失敗する回数 x に対する確率を表します。したがって3回出る確率が最大なのは失敗回数 +3＝試行回数 12、平均値は 15+3＝18 となります。

$$NB\left(x; 3, \frac{1}{6}\right) \quad E[X] = \frac{r \cdot (1-p)}{p} = \frac{3 \cdot \left(1 - \frac{1}{6}\right)}{\frac{1}{6}} = 15 \quad V[X] = \frac{r \cdot (1-p)}{p^2} = 90$$

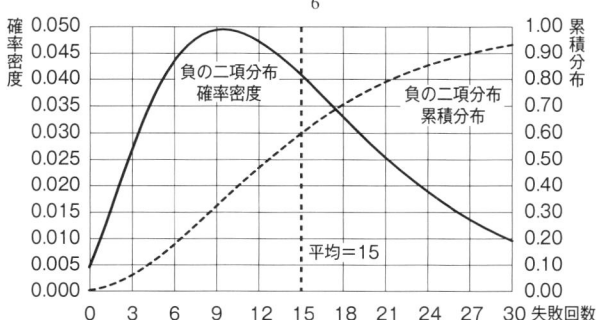

●ノルマが1カ月当たり10個のセールスマンがノルマを達成する訪問件数と確率

10個を販売する確率が最大なのは失敗回数＝36の場合、試行回数は46、試行回数の平均値は 40+10＝50 です。

$$NB(x, 10, 0.2) \quad E[X] = \frac{r \cdot (1-p)}{p} = \frac{10 \cdot (1-0.2)}{0.2} = 40 \quad V[X] = \frac{r \cdot (1-p)}{p^2} = 200$$

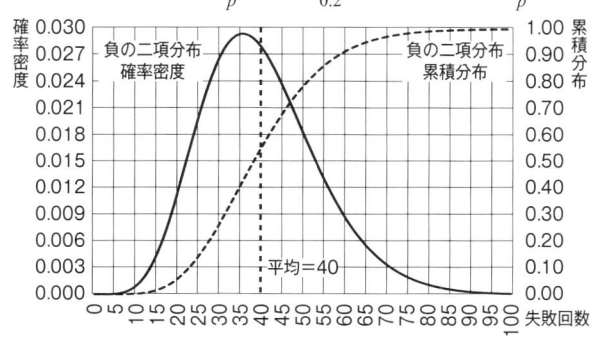

11 取り出した玉を元に戻さない超幾何分布

●超幾何分布とはどんなもの

超幾何分布は、名前は「いかつい」のですが、非常にポピュラーな確率分布です（この名前は、この分布の「特性関数」がガウスの超幾何関数と呼ばれるため。詳細は本書では割愛）。

Aがa個、Bがb個の要素の集合からn個を取り出した場合に、Aがx個である確率 H（x）は、超幾何分布と呼ばれ、下記のように表される。

超幾何分布の公式は、赤玉を選ぶ組合せの数と白玉を選ぶ組合せの数の積を合計個数の玉を選ぶ組合せの総数で割った比率に相当します。確率変数xに対して

■ 超幾何分布

a個のAの中から　b個のBの中から
x個を選ぶ組合せ　残りのn-x個を選ぶ組合せ

$$H(x) = \frac{{}_aC_x \cdot {}_bC_{n-x}}{{}_{a+b}C_n}$$

上段のパラメータの
aとbの和は
下段にある

上段のパラメータの
xとn-xの和は
下段にある

a+b個のAおよびBの中から
n個を選ぶ組合せ

a、b、nの3つのパラメータが登場しますが、数値を順に当てはめれば答えが得られる、非常にわかりやすい確率分布です。注意すべきは、この抜き取り操作は抜き取った後に要素を元に戻さないので、「ベルヌーイ試行」ではないということです。この確率分布のもっとも簡単な応用例は次のようなものです。

袋の中に赤玉が5つ、白玉が3つ入っている。玉を2つ取り出したとき、赤玉と白玉が1つずつである確率を求めよ。

赤玉をA、白玉をBとすると、a＝5、b＝3、n＝2、x＝1なので、これを公式に代入すると、下段の計算となります。この分布は次のような事象にも適用できます。

N個の製品の中に不良品をM個含むロットから、ランダムに抽出したn個の製品の中の不良品の個数Xの分布

■ もっとも簡単な超幾何分布の応用例

$$H(x) = \frac{{}_aC_x \cdot {}_bC_{n-x}}{{}_{a+b}C_n} = \frac{{}_5C_1 \cdot {}_3C_1}{{}_8C_2} = \frac{5 \cdot 3}{28} = 0.54$$

133　第3章　確率分布は計算を楽にする

● 超幾何分布の適用例

もう1つ、超幾何分布の例を紹介します。

52枚のトランプから10枚を選んだ中に含まれるスペードの枚数Xの確率分布

二項分布と比較して下段コラムに示します。

● 超幾何分布の特徴

左頁に、超幾何分布の平均と分散と、超幾何分布の要素の数が大きくなると、二項分布に近づくことを示します。さらに大きくなると正規分布に近づきます。また、aとbの比が小さくサンプル数nが大きいときは、ポアソン分布に近づきます。

■ トランプにおける超幾何分布と二項分布の比較

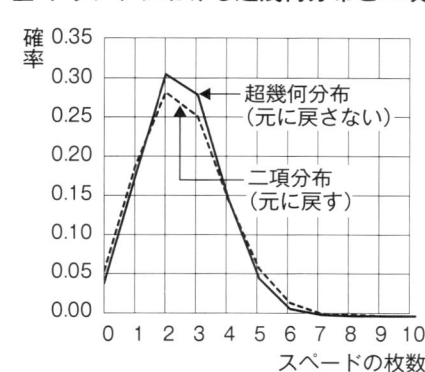

スペードは52枚中13枚なので、確率分布は次のようになります。

$$H(x) = \frac{{}_{13}C_x \cdot {}_{39}C_{10-x}}{{}_{52}C_{10}}$$
$$= 0.303 \quad {}_{(x=2)}$$

その確率分布は左図のようになります。

■ 超幾何分布の平均・分散と二項分布での近似（参考）

● 超幾何分布　　$H(x) = \dfrac{{}_aC_x \cdot {}_bC_{n-x}}{{}_{a+b}C_n}$

平均：$E[X] = n\dfrac{a}{a+b}$，　　分散：$V[X] = n\dfrac{a}{a+b}\dfrac{b}{a+b}\dfrac{a+b-n}{a+b-1}$

平均は、成功確率を内部の構成比率で置き換えると二項分布と一致する。分散も、N→∞でベルヌーイ試行ではない特徴がなくなるので、二項分布に一致する。導出過程は複雑なので省略。

$$\begin{cases} \dfrac{a}{a+b} = p \Rightarrow \dfrac{b}{a+b} = 1-p \\ a+b \equiv N \end{cases} \Rightarrow \begin{cases} E[X] = np \\ V[X] = np(1-p) \cdot \dfrac{N-n}{N-1} \end{cases}$$

● 超幾何分布の二項分布での近似
超幾何分布を変形すると、N→∞の極限で二項分布の各項に一致する。まず組合せの記号を階乗での表現に変える。

$$H(x) = \dfrac{{}_aC_x \cdot {}_bC_{n-x}}{{}_{a+b}C_n} = \dfrac{a!}{(a-x)!x!} \cdot \dfrac{b!}{(n-x)!(b-n+x)!} \cdot \dfrac{(a+b-n)!n!}{(a+b)!}$$
$$= \dfrac{n!}{(n-x)!x!} \cdot \dfrac{a!}{(a-x)!} \cdot \dfrac{b!}{(b-n+x)!} \cdot \dfrac{(N-n)!}{N!}$$

先頭項は二項分布に一致する。後半を展開し、分母分子はそれぞれn項あるので、N^n で割ると p、q で表すことができる。

$$= \dfrac{n!}{(n-x)!x!} \cdot \dfrac{a \cdot (a-1) \cdots (a-x+1) \times b \cdot (b-1) \cdots (b-n+x+1)}{N \cdot (N-1) \cdots (N-n+1)}$$

$$= \dfrac{n!}{(n-x)!x!} \cdot \dfrac{\dfrac{a}{N} \cdot \left(\dfrac{a}{N} - \dfrac{1}{N}\right) \cdots \left(\dfrac{a}{N} - \dfrac{x-1}{N}\right) \times \dfrac{b}{N} \cdot \left(\dfrac{b}{N} - \dfrac{1}{N}\right) \cdots \left(\dfrac{b}{N} - \dfrac{n-x-1}{N}\right)}{1 \cdot \left(1 - \dfrac{1}{N}\right) \cdots \left(1 - \dfrac{n-1}{N}\right)}$$

$$= \dfrac{n!}{(n-x)!x!} \cdot \dfrac{p \cdot \left(p - \dfrac{1}{N}\right) \cdots \left(p - \dfrac{x-1}{N}\right) \times q \cdot \left(q - \dfrac{1}{N}\right) \cdots \left(q - \dfrac{n-x-1}{N}\right)}{1 \cdot \left(1 - \dfrac{1}{N}\right) \cdots \left(1 - \dfrac{n-1}{N}\right)}$$

$$\xrightarrow{N \to \infty} \dfrac{n!}{(n-x)!x!} p^x (1-p)^{n-x}$$

135　第3章　確率分布は計算を楽にする

12 まれに起こる事象の平均だけを考えるポアソン分布

● ポアソン分布とはどんなもの？

ポアソン分布は、数多くある確率分布の中でも、もっとも意義のある確率分布です。ポアソン分布は、「ある事象が起きる頻度の平均 λ（ラムダ）」だけがわかる、発生頻度が非常に低い場合にあてはまります。

たとえば、「日本国内で1日に車が利用される回数」は非常に大きい数値であり、一方「1台の車が1日に事故を起こす確率」は非常に小さく、いずれも簡単にはわからないのですが、これらの積「1日に発生する事故の平均回数」は比較的調査しやすく、この場合には二項分布ではなくポアソン分布が有効です。

ポアソン分布 $P(X=k)$ を正確に表現すると、「単位時間中に平均 λ 回発生する事象が単位時間中に k 回（k＝0, 1, 2…）発生する確率」です。ポアソン分布は、二項分布で試行回数 n と確率 p の積を一定にした、n→∞ の極限に相当します。左頁に、その導出過程から平均・分散の計算までを示します。

136

■ ポアソン分布の基本

●二項分布からポアソン分布へ

$$\lim_{\substack{\lambda=np,\\n\to\infty}} {}_nC_k p^k (1-p)^{n-k} = \frac{\lambda^k e^{-\lambda}}{k!}$$

上の関係を、右の関係を使って示します。この関係は高校の数学ではあまり出てきませんが、極めて基礎的なものです。

$$\left[\lim_{n\to\infty}\left(1+\frac{\lambda}{n}\right)^n = e^\lambda \Rightarrow \lim_{n\to\infty}\left(1-\frac{\lambda}{n}\right)^n = e^{-\lambda} \right]$$

$$\lim_{\substack{p=\lambda/n\\n\to\infty}} {}_nC_k p^k (1-p)^{n-k} = \frac{n!}{(n-k)!k!}\left(\frac{\lambda}{n}\right)^k \left(1-\frac{\lambda}{n}\right)^{n-k}$$

$$= \frac{\lambda^k}{k!} \cdot \underbrace{\frac{n \cdot (n-1) \cdot (n-2) \cdot (n-k+1)}{n^k}}_{\downarrow \atop 1} \cdot \underbrace{\left(1-\frac{\lambda}{n}\right)^n}_{\downarrow \atop e^{-\lambda}} \cdot \underbrace{\left(1-\frac{\lambda}{n}\right)^{-k}}_{\downarrow \atop 1}$$

$$\lim_{\substack{\lambda=np,\\n\to\infty}} {}_nC_k p^k (1-p)^{n-k} = \frac{\lambda^k}{k!} \cdot e^{-\lambda} = \frac{\lambda^k e^{-\lambda}}{k!}$$

●ポアソン分布の平均と分散
平均を求めるのは簡単ですが、分散を求めるのは若干複雑なので、解説は省略します。

$$E[X] = \sum_{k=0}^{\infty} x_k P_k = \sum_{k=0}^{\infty} k \frac{\lambda^k e^{-\lambda}}{k!} = \lambda e^{-\lambda} \sum_{k=0}^{\infty} \frac{\lambda^{k-1}}{(k-1)!} = \lambda e^{-\lambda} \cdot e^{\lambda} = \lambda$$

$$V[X] = \sum_{k=0}^{\infty} \left\{ x_k - [E(X)] \right\}^2 P_k = \lambda$$

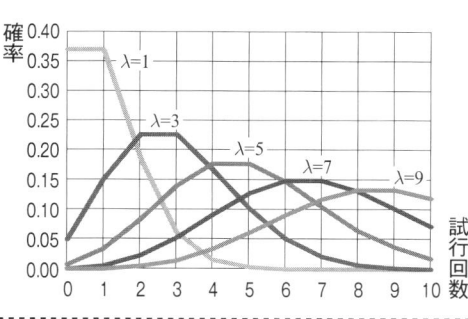

●ポアソン分布のグラフ
右図に示すように、平均 λ が大きくなると、だんだん正規分布に近づきます。

137　第3章　確率分布は計算を楽にする

●ポアソン分布の応用例

ポアソン分布は次のような事象の分析に適しています。

○ある店舗の単位時間あたりの来客者の数ごとの確率
○交通事故による1週間あたりの死亡者数ごとの確率
○放射性物質の崩壊の単位時間あたりの数ごとの確率
○書籍の1週間あたりの販売部数ごとの確率
○製品中の不良品の個数ごとの確率
○電話が一定時間内にかかってくる回数ごとの確率

例として、次の問題を考えます。

1時間に平均5人の客が来る店において、客が1時間にn人来る確率

これは、前頁に示したグラフのうちλ=5に対応する場合に他なりません。平均的な来店人数がわかっていれば、来店人数ごとの確率がはじけます(左頁下段図参照)。

ポアソン分布は、こんな問題にも使われます。

自動車事故による死亡が1年間に1万人、日本の人口を1.2億人として、人口100万人の都市で、ある日が「自動車事故死亡者0の日」となる確率はいくらか

この場合はλが1日あたりの平均死亡者数であり、nが100万人、死亡率p＝1万人／1.2億人／365＝2.28×10^{-7}となるので、λ＝0.228となります。

この値をP137に示したポアソンの確率分布に代入しk＝0とすると、確率は80％となります。ちなみに死亡者1名（k＝1）の確率は約18％なので、合わせると98％を占めることになります。

■ 客が1時間にn人来る確率

	5
0	0.007
1	0.034
2	0.084
3	0.140
4	0.175
5	0.175
6	0.146
7	0.104
8	0.065
9	0.036
10	0.018

139　第3章　確率分布は計算を楽にする

13 離散確率分布と連続確率分布はどう違う？

●連続確率分布とは何か

本章で前節まで取り上げた確率分布は「離散的な」（とびとびの値を取る）確率変数に対する確率分布でした。一方P30で初めて取り上げた正規分布は「連続的な」（連続した値を取る）確率変数に対する確率分布です。このような、連続的な確率変数に対する確率分布は「連続確率分布」と呼ばれます。連続確率分布の特徴は、次のような点です。

○ 確率変数の1つの点に対応する確率は0である
○ 確率としては、ある一定の幅の確率変数に対応する確率（累積分布）を利用する
○ 連続確率分布の確率は確率密度関数の（級数ではなく）積分で計算する

離散確率分布では確率変数の1点に対して1つの確率値が対応しますが、連続確率分布では確率変数の1点に対する値は無意味であり、ある範囲の幅の確率変数に対する確率密度関数の積分値（簡単にいえば曲線の下の面積）が確率になります。それが

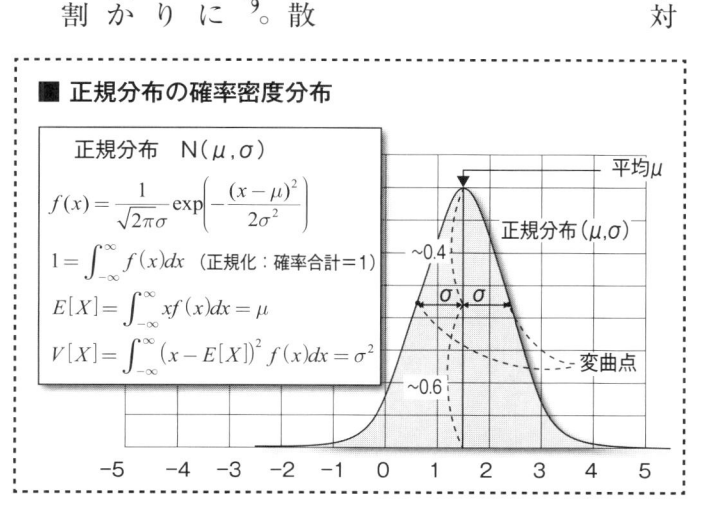

P45に示した図であり、次のような確率が対応します。

- 片側幅 σ の確率‥34.1%
- 両側幅 2σ の確率‥68.2%
- 片側幅 2σ の確率‥47.7%
- 両側幅 4σ の確率‥95.4%
- 片側幅 3σ の確率‥49.8%
- 両側幅 6σ の確率‥99.6%

正規分布の平均は μ、標準偏差は σ、分散は σ^2 であり、その計算式も下段図に示します。1点ではなく範囲に対応する値を得るために平均・分散の計算には積分操作が必要になります。ただし本書では、連続確率分布の細かい計算までは立ち入りません。右に示した割合が重要なのです。

■ 正規分布の確率密度分布

正規分布 $N(\mu, \sigma)$

$$f(x) = \frac{1}{\sqrt{2\pi}\sigma} \exp\left(-\frac{(x-\mu)^2}{2\sigma^2}\right)$$

$$1 = \int_{-\infty}^{\infty} f(x)dx \quad (\text{正規化：確率合計}=1)$$

$$E[X] = \int_{-\infty}^{\infty} xf(x)dx = \mu$$

$$V[X] = \int_{-\infty}^{\infty} (x - E[X])^2 f(x)dx = \sigma^2$$

平均 μ
正規分布 (μ, σ)
~0.4
~0.6
変曲点

●離散確率分布と連続確率分布の組合せ

もう1つおもしろい関係を紹介します。前節で解説したポアソン分布は、「まれにしか起きない事象が起きる確率を表す確率分布」なのですが、この事象と事象の間の時間を表す確率分布はどんなものになるでしょうか。

この事象が起きる確率はポツンポツンと起きる離散確率分布ですが、事象と事象の間の時間は「指数分布」と呼ばれる連続確率分布になります。

このような、ポアソン分布に従うランダムな事象の発生過程を「ポアソン過程」と呼びます。

左頁の図に、ポアソン過程における事象の発生がポアソン分布、その間の時間が指数分布に従う事情を説明します。

■ ポアソン分布と指数分布の比較

●ポアソン分布（離散確率分布）

平均 λ に対して事象が k 回発生する確率

$$\begin{cases} f(k) = \dfrac{\lambda^k e^{-\lambda}}{k!} \\ F(t) = \sum_{k=0}^{\infty} \dfrac{\lambda^k e^{-\lambda}}{k!} \end{cases}$$

$$\begin{cases} E[X] = \lambda \\ V[X] = \lambda \end{cases}$$

$\Leftrightarrow$

●指数分布（連続確率分布）

平均 $1/\lambda$ に対して事象が間隔 t で発生する確率

$$\begin{cases} f(t) = \lambda e^{-\lambda t} \\ F(t) = \int_0^x \lambda e^{-\lambda x} dx = 1 - e^{-\lambda x} \end{cases}$$

$$\begin{cases} E[X] = 1/\lambda \\ V[X] = 1/\lambda^2 \end{cases}$$

■ ポアソン過程とポアソン分布・指数分布（参考）

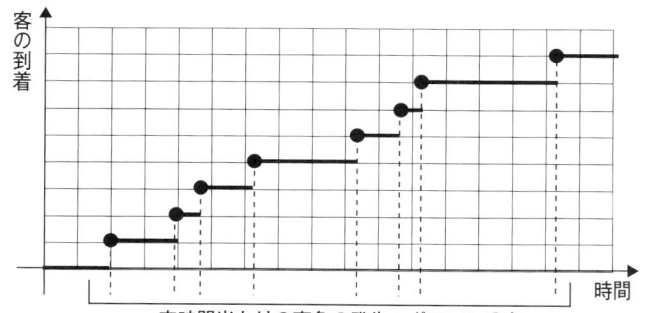

一定時間当たりの事象の発生：ポアソン分布
事象と事象の間の時間：指数分布

「一定時間に到着する客の数」がポアソン分布に従う場合、任意の時間間隔をn個に等分し、その時間間隔を[Δt]として、次の3つの条件を満たすプロセスを考えます。
(1) 任意の時間間隔[Δt]において、客の到着は0人か1人である。
(2) 任意の時間間隔[Δt]において、客の到着確率は「λ」である。
(3) 任意の時間間隔[Δt]における客の到着は、他の時間間隔における客の到着と無関係である。

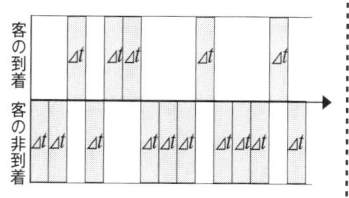

すると、k個の時間間隔にそれぞれ1人ずつ到着し、残りの時間間隔に客が到着しない確率は、二項分布に従うので、右の式で表されます。

$$P(k:\lambda,t) = \lim_{\substack{np=\lambda t,\\ n\to\infty}} {}_nC_k p^k (1-p)^{n-k}$$

$$= \frac{(\lambda t)^k e^{-\lambda t}}{k!}$$ ここの計算はP.137と同じ。

この数式において、「k=0」の場合とは、客が初めて来るまでの時間であり、この時間を[T]とすると、以降の関係式は右のようになります。

ここで求められる関数Pは累積分布関数なので、これを微分して確率密度関数が得られます。

$$P(T \leq t) + P(T > t) = 1$$
$$P(T > t) = P(k=0) = e^{-\lambda t}$$
$$P(T \leq t) = 1 - P(T > t) = 1 - e^{-\lambda t}$$
$$\frac{d}{dt}P(T \leq t) = f(t) = \lambda e^{-\lambda t}$$

14 ポアソン過程にはどんなものがあるか？

●ポアソン分布と指数分布が表すもの

前節で、ポアソン過程には「ポアソン分布」と「指数分布」が共存することを述べましたが、本節ではその例をあげます。それぞれの例において、「λ」や「$1/\lambda$」が何を表すのかをまとめます。

(1) プロシア陸軍で馬に蹴られて死んだ兵士の数

歴史上初のポアソン分布の適用例として有名なもので、「蹴られて死んだ兵士の数」はポアソン分布に従い、λ は「単位期間あたりの死亡者数」を表します。「死亡するまでの期間」は指数分布に従い、$1/\lambda$ は「死亡するまでの平均期間」を表します。

(2) 高速道路の料金所にある時間帯に到着する自動車の台数

「到着する台数」はポアソン分布に従い、λ は「単位時間あたりの平均到着台数」を

表します。「車両が到着する間隔」は指数分布に従い、$1/\lambda$は「車両が到着する平均間隔」を表します。

（3）ある時間帯に銀行や役所に到着する人数

「到着する人数」はポアソン分布に従い、λは「単位時間あたりの平均到着人数」を表します。「客が到着するまでの時間」は指数分布に従い、$1/\lambda$は「客が到着するまでの平均時間」を表します。

（4）自動車や機械部品などの故障の頻度

故障率一定の時期において、「故障する回数」はポアソン分布に従い、λは「単位時間あたりの平均故障回数（故障率）」を表します。「故障期間」は指数分布に従い、$1/\lambda$は「平均故障期間」を表します。

（5）火災や交通事故の発生頻度

「災害の発生する回数」はポアソン分布に従い、λは「単位時間あたりの災害発生回

数」を表します。「災害発生間隔」は指数分布に従い、$1/\lambda$ は「平均災害発生間隔」を表します。

(6) 販売頻度の低い商品の販売頻度

「単位時間あたりの販売頻度」はポアソン分布に従い、λ は「単位時間あたりの販売数」を表します。「商品販売間隔」は指数分布に従い、$1/\lambda$ は「平均商品販売間隔」を表します。

● ポアソン過程の計算例

以上の例の中から、例を1つだけ計算してみましょう。

ある電子機器の最初の故障までの時間が指数分布に従うとして、この機器の保証期間を1年として、保証期間内に何らかの修理が必要になる確率を40％以下に抑えるには、その製品が故障なしで稼働する平均年数は何年必要だろうか。

故障の発生が指数分布に従うとすると、指数分布の λ が故障率、$1/\lambda$ が故障期間

146

に相当します。故障期間が1年の場合と2年の場合とでグラフを描いてみましょう。これはλに1と1/2を設定することになります。

故障期間1年では、故障するまでの平均期間が1年なので、この場合は無理です。故障期間2年では、故障が起きる確率の平均値は0.5であり、保証期間1年の場合は計算結果次第で大丈夫かもしれません。

そのグラフは下図のようになり、ここで「1年以内に故障する確率が40%以内の範囲を薄いグレーで示します。故障期間1年の場合には1年後の故障確率は60%を超えてしまいますが、故障期間2年の場合には1年後の故障確率は40%を下回るので、これが答えです。

■ 電子機器の最初の故障までの時間の予測

●指数分布 $f(t) = \lambda e^{-\lambda t}$ $E[X] = 1/\lambda$

故障率[λ]	1		1/2	
平均寿命[$1/\lambda$]	1		2	
経過年数	確率密度	累積分布	確率密度	累積分布
0.00	1.00	0.00	0.50	0.00
0.25	0.78	0.22	0.44	0.12
0.50	0.61	0.39	0.39	0.22
0.75	0.47	0.53	0.34	0.31
1.00	0.37	0.63	0.30	0.39
1.25	0.29	0.71	0.27	0.46
1.50	0.22	0.78	0.24	0.53
1.75	0.17	0.83	0.21	0.58
2.00	0.14	0.86	0.18	0.63
2.25	0.11	0.89	0.16	0.68
2.50	0.08	0.92	0.14	0.71
2.75	0.06	0.94	0.13	0.75
3.00	0.05	0.95	0.11	0.78
1年後の故障確率	0.632		0.393	

147　第3章　確率分布は計算を楽にする

15 その他の分布にはどんなものがあるか？

●年収の分布が従うといわれる対数正規分布

対数正規分布は、対数正規分布 $LN(\mu, \sigma^2)$ に従う確率変数 X の対数 $Y = \ln X$ が正規分布 $N(\mu, \sigma^2)$ に従う確率分布です。これは所得の分布をかなり正確に表す確率分布として有名です。左頁に、上から、所得分布の例、対数正規分布とそれから生成した正規分布の例を示します。

対数正規分布の形は左右非対称で、高所得側に長い裾野が広がります。これは、1回あたりの昇給金額が定額ではなく定率、たとえば「1回につき数%」という比率で伸びてゆくところにあるといわれます。もしこれが定額で伸びていくならば、最初の正規分布のまま、形は崩れず平均が増えていくことでしょう。

■ 対数正規分布と正規分布の平均と分散

$$\begin{cases} f(x) = \dfrac{1}{\sqrt{2\pi}\sigma} \exp\left(-\dfrac{(x-\mu)^2}{2\sigma^2}\right) \\ F(x) = \dfrac{1}{\sqrt{2\pi}\sigma} \int_0^x \exp\left(-\dfrac{(u-\mu)^2}{2\sigma^2}\right) du \end{cases} \Rightarrow \begin{cases} f(x) = \dfrac{1}{\sqrt{2\pi}\sigma} \exp\left(-\dfrac{(\ln x - \mu)^2}{2\sigma^2}\right) \\ F(x) = \dfrac{1}{\sqrt{2\pi}\sigma} \int_0^x \dfrac{1}{u} \exp\left(-\dfrac{(\ln u - \mu)^2}{2\sigma^2}\right) du \end{cases}$$

$$\begin{cases} E[X] = \mu \\ V[X] = \sigma^2 \end{cases} \quad\quad \begin{cases} E(X) = e^{\mu + \frac{\sigma^2}{2}} \\ V(X) = e^{2\mu + \sigma^2}(e^{\sigma^2} - 1) \end{cases}$$

■ 対数正規分布の例と正規分布との関係

●所得の分布状況（厚労省資料より）

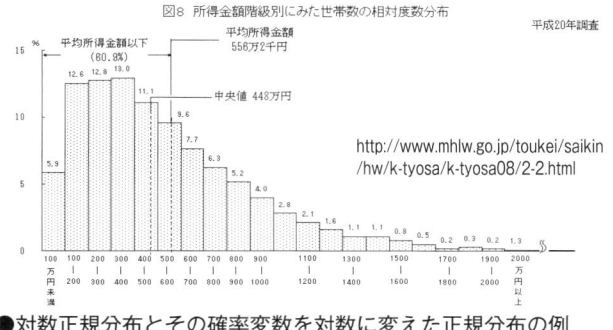

図8 所得金額階級別にみたた世帯数の相対度数分布

平成20年調査

平均所得金額以下 (80.3%)
平均所得金額 556万2千円
中央値 448万円

http://www.mhlw.go.jp/toukei/saikin/hw/k-tyosa/k-tyosa08/2-2.html

●対数正規分布とその確率変数を対数に変えた正規分布の例

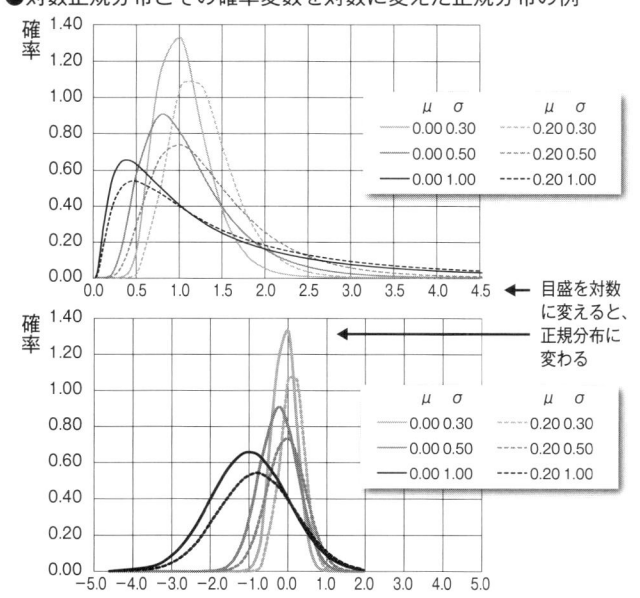

μ σ	μ σ
—— 0.00 0.30	---- 0.20 0.30
—— 0.00 0.50	---- 0.20 0.50
—— 0.00 1.00	---- 0.20 1.00

← 目盛を対数に変えると、正規分布に変わる

また対数正規分布は、株価や原油価格など、「データのバラツキの大きさがその値の大きさに比例する」ような場合によく発生します。

● **一様分布の拡張にあたるベータ分布**

確率の初歩の確率分布として「一様分布」というものがあります。これは、確率変数の値に無関係に一定の確率で発生する事象を表すものです。この一様分布に近い確率分布を表すためによく使われるのがベータ分布です。パラメータを適当に設定して利用します。ベータ分布で＝１としたのが一様分布です。

● **指数分布の拡張にあたるガンマ分布**

ガンマ分布は、工業用装置の寿命の分析な

■ ベータ分布の確率密度分布

ベータ分布は、$\alpha=\beta=1$ で直線の一様分布になります。

$$\begin{cases} f(x) = \dfrac{x^{\alpha-1}(1-x)^{\beta-1}}{\int_A^B u^{\alpha-1}(1-u)^{\beta-1}du} \\ F(x) = \dfrac{\int_A^x u^{\alpha-1}(1-u)^{\beta-1}du}{\int_A^B u^{\alpha-1}(1-u)^{\beta-1}du} \\ E[X] = \dfrac{\alpha}{\alpha+\beta} \\ V[X] = \dfrac{\alpha\beta}{(\alpha+\beta)^2(\alpha+\beta+1)} \end{cases}$$

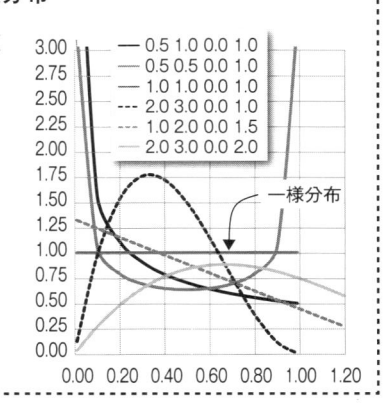

凡例:
- 0.5 1.0 0.0 1.0
- 0.5 0.5 0.0 1.0
- 1.0 1.0 0.0 1.0
- 2.0 3.0 0.0 1.0
- 1.0 2.0 0.0 1.5
- 2.0 3.0 0.0 2.0

一様分布

どのデータの分析に利用します。ガンマ分布で $\alpha=1$ としたのが指数分布にあたります。指数分布より少しずれた確率分布を模倣する際にパラメータを適当に設定して利用します。

ベータ分布やガンマ分布を利用するには、P163で説明するように、偏差平方和を最小にするパラメータを設定します。

● **推定・検定に使われる確率分布**

次の3つの分布は、P195の表に示す検定に使われます。正規分布から一定の操作で生成された確率分布です。

○ t分布：平均などに関するt検定に利用
○ F分布：等分散検定（F検定）に利用
○ χ^2分布：適合度検定・独立性検定に利用

■ ガンマ分布の確率密度分布

ガンマ分布は $\alpha=1$ でふつうの指数分布となります。$\alpha>1$ で極大点が発生し、いったん増加して x 軸に漸近する曲線となります。

$$\begin{cases} f(x;\alpha,\beta) = \dfrac{1}{\beta^\alpha \Gamma(\alpha)} x^{\alpha-1} \exp\left\{-\dfrac{x}{\beta}\right\} \\ F(x) = \int_0^x f(u;\alpha,\beta)du \end{cases}$$

α：形状パラメータ
β：尺度パラメータ

$$\begin{cases} E[X] = \alpha\beta \\ V[X] = \alpha\beta^2 \end{cases}$$

α	β		α	β
— 0.5	0.5	--	1.0	0.5
-- 2.0	0.5	--	3.0	0.5
-- 0.5	1.0	--	1.0	1.0

指数分布

■ パスカルの三角形

パスカルの三角形は、二項係数を三角形状に並べた物であり、この三角形の作り方は次のようなルールに基づきます。
1 まず最上段に1を配置する。
2 それより下の行はその位置の「右上と左上の数の和」を配置する。

このようにして数を並べると、上から n 段目、左から r 番目の数は、二項係数 $_nC_r$ となり、右下に示すように、展開式の係数となります。

● パスカルの三角形

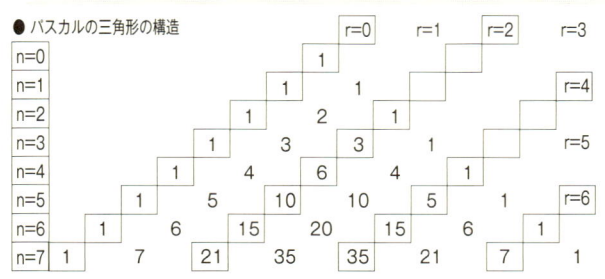

```
              1
            1   1
          1   2   1
        1   3   3   1
      1   4   6   4   1
    1   5  10  10   5   1
  1   6  15  20  15   6   1
1   7  21  35  35  21   7   1
```

● パスカルの三角形の構造

(n=0 から n=7、r=0 から r=6 まで配置)

● 組合せの数と次数ごとの展開式

$_nC_r$				n				
		1	2	3	4	5	6	7
	0	1	1	1	1	1	1	1
	1	1	2	3	4	5	6	7
	2		1	3	6	10	15	21
	3			1	4	10	20	35
r	4				1	5	15	35
	5					1	6	21
	6						1	7
	7							1

○ 2次式 (1,2,1)
$(x+y)^2 = x^2 + 2xy + y^2$

○ 3次式 (1,3,3,1)
$(x+y)^3 = x^3 + 3x^2y + 3xy^2 + y^3$

○ 4次式 (1,4,6,4,1)
$(x+y)^4 =$
$x^4 + 4x^3y + 6x^2y^2 + 4xy^3 + y^4$

第4章
ビジネスに本当に必要な統計解析

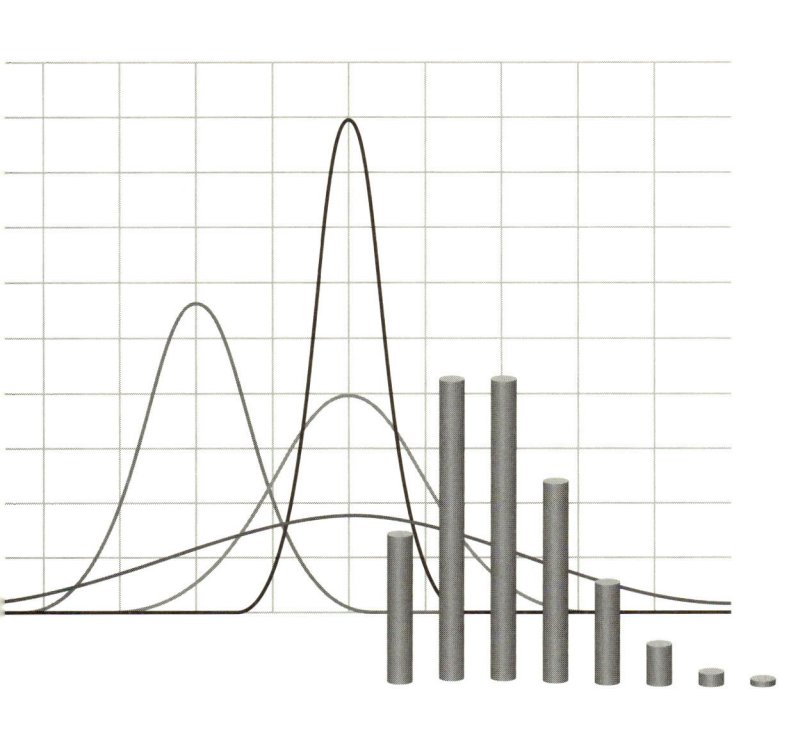

1 ビジュアルでの傾向分析に最適なツール

●ビジネスにもっとも必要なツール

ビジネスでもっとも大事なことは、
○過去の売上の傾向を分析し、
○将来の売上を予測する

ことではないでしょうか。そして、過去の売上の分析手法として「データマイニング」という手法があり、生産効率を上げる手法として製品の検査手法などがあります。確率分布を販売予測に利用することもできるでしょう。

データマイニングとは、販売データやクレジットカードの利用履歴など、企業に大量に蓄積されるデータの山を鉱山とみなして、玉石混交ながらもこれを解析し、中に潜む項目間の相関関係やパターンなどを探し出すことです。この手法によって米国ウォルマートが「ビール売り場に紙オムツ」を置いて売上を伸ばしたのはもっとも有名な話です。なぜかビールを買う客が紙オムツを買っていた傾向を発見して調べてみ

たところ、それが男性客と判明し、細君に命じられてビールと一緒に紙オムツを買わされていたのがその背景でした。

このように、販売データの間に相関関係がないか、商品の売上データの中に顧客を探り当てる方法はないか、などということを調べる場合には、「データの相関」を分析し、将来の売上を予測するには売上データを近似する最適な直線・曲線を探し出す「最小2乗法」という方法論を利用します。本章ではこれらのビジュアルなツールを解説します。

いずれも偏差平方和を分析したり、偏差平方和を最小にするパラメータを利用したりするもので、EXCELなどの表計算ソフトを利用することになります。

■ 相関分析と曲線近似

現在における相関分析

その曲線などで将来を予測

過去の実績を

曲線などで近似

155　第4章　ビジネスに本当に必要な統計解析

2 相関係数はどう使う?

●独立ではない2つの変数の関係

 前章までの確率変数間の関係では、特に明記しませんでしたが「2つの変数は独立」と考えました。しかし本章では、「2つの変数の関係」を考えるので独立ではありません（P159に示す「共分散」がゼロではありません）。「2つの確率変数の間の関係」を表すのが相関係数です。相関係数の見方までは高校数学Bで登場する内容です。

 数多くのデータの相関をみるには、まずx、y座標のそれぞれの平均値を座標とする「重心座標」に注目します。この点より右ではx座標と重心のx座標の差が正、左ではx座標と重心のx座標の差が負です。同様に、この点より上ではy座標と重心のy座標の差が正、下ではy座標と重心のy座標の差が負です。この正負によって重心座標を中心として座標平面は、I、II、III、IVの4つの領域に分割されます（左頁）。

 そうすると、I・IIIの領域では、x、y座標の重心座標との差の積が正になり、

■ データの重心座標に対する位置と符号と相関の関係

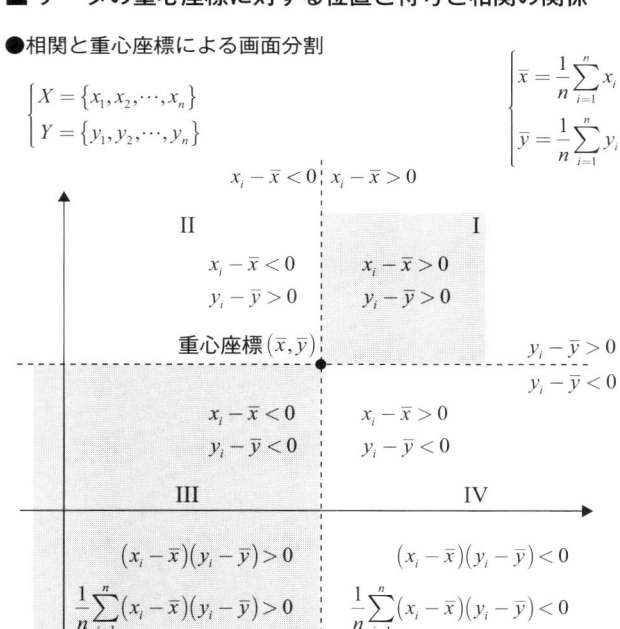

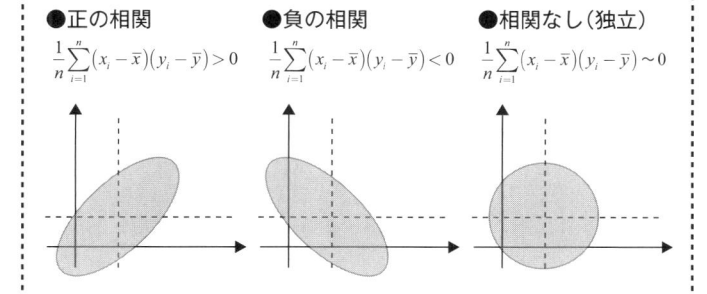

● 相関と重心座標による画面分割

$$\begin{cases} X = \{x_1, x_2, \cdots, x_n\} \\ Y = \{y_1, y_2, \cdots, y_n\} \end{cases}$$

$$\begin{cases} \bar{x} = \dfrac{1}{n}\sum_{i=1}^{n} x_i \\ \bar{y} = \dfrac{1}{n}\sum_{i=1}^{n} y_i \end{cases}$$

$x_i - \bar{x} < 0 \quad x_i - \bar{x} > 0$

II 　　　　　　　　　　I

$x_i - \bar{x} < 0 \quad x_i - \bar{x} > 0$
$y_i - \bar{y} > 0 \quad y_i - \bar{y} > 0$

重心座標 $(\bar{x}, \bar{y})$

$y_i - \bar{y} > 0$
$y_i - \bar{y} < 0$

$x_i - \bar{x} < 0 \quad x_i - \bar{x} > 0$
$y_i - \bar{y} < 0 \quad y_i - \bar{y} < 0$

III 　　　　　　　　　　IV

$(x_i - \bar{x})(y_i - \bar{y}) > 0$ 　　　　 $(x_i - \bar{x})(y_i - \bar{y}) < 0$

$\dfrac{1}{n}\sum_{i=1}^{n}(x_i - \bar{x})(y_i - \bar{y}) > 0$ 　　 $\dfrac{1}{n}\sum_{i=1}^{n}(x_i - \bar{x})(y_i - \bar{y}) < 0$

● 正の相関　　　　　● 負の相関　　　　　● 相関なし（独立）

$\dfrac{1}{n}\sum_{i=1}^{n}(x_i - \bar{x})(y_i - \bar{y}) > 0$ 　 $\dfrac{1}{n}\sum_{i=1}^{n}(x_i - \bar{x})(y_i - \bar{y}) < 0$ 　 $\dfrac{1}{n}\sum_{i=1}^{n}(x_i - \bar{x})(y_i - \bar{y}) \sim 0$

II・IVの領域では、x、y座標の重心座標との差の積が負になります。ここで生ずる符号を利用します。

● 共分散と相関係数の定義

x、y座標の重心座標との差の積の平均は「共分散」と呼ばれ、これをx、y座標それぞれの標準偏差で割ったものとして「相関係数」が定義されます（左頁最下段の定義参照）。共分散は前章までよく登場した分散を2変数に拡張したものであり、分散と同様に確率変数の2乗の次元を持ちますが、標準偏差の積で割った相関係数は次元なしの無名数になります。

相関係数から、前頁に示したように「正の相関」「負の相関」「相関なし」が判別できます。また、後述する直線近似・曲線近似で、その近似の良さを評価する「決定係数」として相関係数の2乗r^2が使われます。

■ EXCELにおける共分散と相関係数

EXCELにはさまざまな関数が用意されており、若干紛らわしいのでここで関数を比較して整理しておきます

$$\text{COVAR}(X,Y) = Cov(X,Y) = \frac{1}{n}\sum_{i=1}^{n}(x_i - \bar{x})(y_i - \bar{y})$$

$$\text{CORREL}(X,Y) = \text{PEARSON}(X,Y) = r \equiv \frac{Cov(X,Y)}{\sigma_x \sigma_y}$$

$$\text{RSQ}(X,Y) = r^2 = \text{CORREL}^2(X,Y) = \text{PEARSON}^2(X,Y)$$

■ 共分散と相関係数の定義

●共分散の定義

$$\begin{cases} X = \{x_1, x_2, \cdots, x_n\} \\ Y = \{y_1, y_2, \cdots, y_n\} \end{cases} \begin{cases} \bar{x} = \dfrac{1}{n}\sum_{i=1}^{n} x_i = \mu_x \\ \bar{y} = \dfrac{1}{n}\sum_{i=1}^{n} y_i = \mu_y \end{cases} \begin{cases} \sigma_x^2 = \dfrac{1}{n}\sum_{i=1}^{n}(x_i - \mu_x)^2 \\ \sigma_y^2 = \dfrac{1}{n}\sum_{i=1}^{n}(y_i - \mu_y)^2 \end{cases}$$

という準備の上で、共分散（$Cov;\ Covariance$）を定義します。

$$\frac{1}{n}\sum_{i=1}^{n}(x_i - \bar{x})(y_i - \bar{y}) \equiv Cov(X, Y)$$

これが2つの確率変数の関係を表し、ゼロならばこれらは独立変数となります。

1 共分散は2つの確率変数の分散の和と和の分散の差分にあたります。

$$V[X+Y] = \frac{1}{n}\sum_{i=1}^{n}\left\{(x_i + y_i) - (\mu_x + \mu_y)\right\}^2 = \frac{1}{n}\sum_{i=1}^{n}\left\{(x_i - \mu_x) + (y_i - \mu_y)\right\}^2$$
$$= \frac{1}{n}\sum_{i=1}^{n}(x_i - \mu_x)^2 + \frac{1}{n}\sum_{i=1}^{n}(y_i - \mu_y)^2 + \frac{2}{n}\sum_{i=1}^{n}(x_i - \mu_x)(y_i - \mu_y)$$
$$= V[X] + V[Y] + 2Cov(X, Y)$$

2 同じ確率変数の共分散は分散に相当します。

$$Cov(X, X) = \frac{1}{n}\sum_{i=1}^{n}(x_i - \bar{x})^2 = \sigma_x^2$$

3 共分散は次のようにも整理できます。

$$Cov(X, Y) = \frac{1}{n}\sum_{i=1}^{n} x_i y_i - \mu_x \frac{1}{n}\sum_{i=1}^{n} y_i - \mu_y \frac{1}{n}\sum_{i=1}^{n} x_i + \mu_x \mu_y$$
$$= \frac{1}{n}\sum_{i=1}^{n} x_i y_i - \mu_x \mu_y$$

●相関係数の定義

$$r \equiv \frac{Cov(X, Y)}{\sigma_x \sigma_y} = \frac{\dfrac{1}{n}\sum_{i=1}^{n}(x_i - \bar{x})(y_i - \bar{y})}{\sqrt{\dfrac{1}{n}\sum_{i=1}^{n}(x_i - \mu_x)^2}\sqrt{\dfrac{1}{n}\sum_{i=1}^{n}(y_i - \mu_y)^2}}$$

$$= \frac{\sum_{i=1}^{n}(x_i - \bar{x})(y_i - \bar{y})}{\sqrt{\sum_{i=1}^{n}(x_i - \mu_x)^2}\sqrt{\sum_{i=1}^{n}(y_i - \mu_y)^2}} \quad (0 \leq |\rho_{xy}| \leq 1)$$

3 相関係数を使った分析の例

●相関と直線近似

P157では概念図で相関関係を示しましたが、本節では具体的に x－y データで相関を再現した図で説明します。左の3つの図では、x－y データそれらの点に対して近似直線を描いています。EXCELでは、近似直線を描くと一緒にその直線を表す式や決定係数「r^2」(相関係数の2乗、EXCELでは R^2 と表示)を表示することができます。

●相関がない例

下図では、x－y データのどんな方向にも偏りがみられません。決定係数も

■ 相関がない例

$y = -0.0147x + 2.4562$
$R^2 = 0.0002$

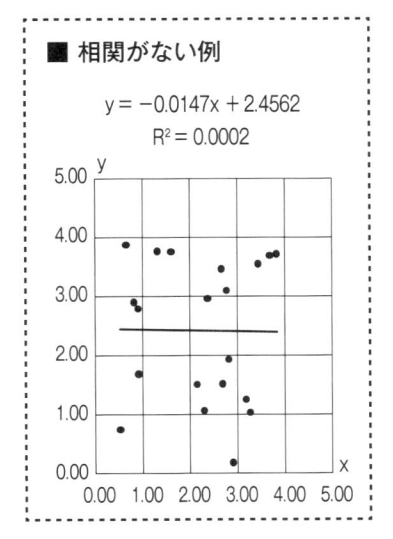

1000分の1以下なので、ほとんど相関がみられない例です。

● 相関がある例

下右図のデータには、かなりきれいな右上がりのデータの一群と右下の外れたデータの一群の2つのグループがあり、そのため決定係数も0・58までしか大きくなりません。中程度の相関の強さです。

身長と足のサイズの相関や、身長と体重の相関などの強さはこの程度です。

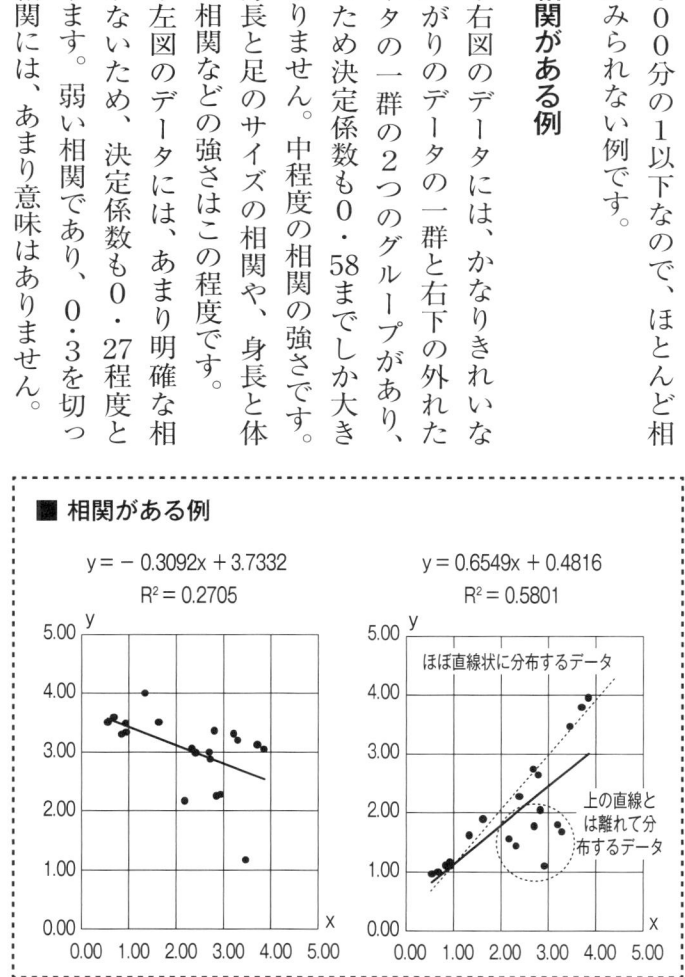

下左図のデータには、あまり明確な相関がないため、決定係数も0・27程度となります。弱い相関であり、0.3を切った相関には、あまり意味はありません。

■ 相関がある例

y = − 0.3092x + 3.7332
R^2 = 0.2705

y = 0.6549x + 0.4816
R^2 = 0.5801

ほぼ直線状に分布するデータ

上の直線とは離れて分布するデータ

4 最小2乗法はどう使う?

●相関係数と最小2乗法の適用例

データの相関はたとえば次のような例に適用します。
○身長と体重・身長と足の大きさなどの相関（もっともよく取り上げられる例）
○数学と物理・国語と社会などの試験の点数の相関
○夏の日の気温とビールの販売本数

最後の例の場合には、気温とビールの在庫量の関係を調べておけば、予想気温に対応した在庫本数を自動的に管理できます。また次のような時系列データの場合には、時系列と販売量などの関係から将来の販売量などを予測することができます。
○月次販売量・月次売上高の変遷
○新しい商品への顧客の移行状況

最初はまず「直線で近似する手法」（直線への回帰の手法）を紹介します。EXCELには直線や曲線などさまざまなグラフでの近似の手法や関数群が用意されています。

■ 直線で近似する方法 その1

● 誤差の仮定
2つの独立ではない変数 x_i, y_i に対して、誤差 e_i を (x_i, y_i) と (x_i, ax_i+b) の距離として次のように定義します。そしてこの誤差を最小にする a, b を求めるのが最小2乗法です。

$$\begin{cases} X = \{x_1, x_2, \cdots, x_n\} \\ Y = \{y_1, y_2, \cdots, y_n\} \end{cases} \quad \begin{aligned} y_i - y(x_i) &= y_i - (ax_i + b) \\ &= y_i - ax_i - b \equiv e_i \end{aligned}$$

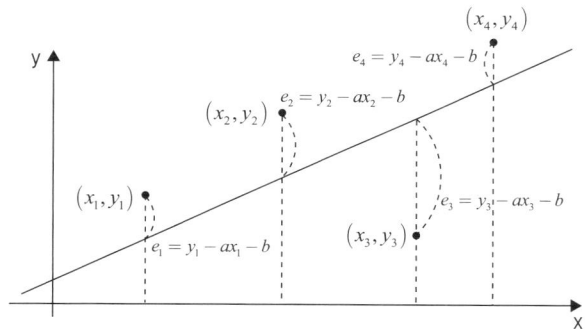

● 誤差の平方和を最小にする
誤差の正負が打ち消し合わないように、誤差の平方和を最小にする a, b を求めます。

$$V = \frac{1}{n}\sum_{i=1}^{n} e_i^2 = \frac{1}{n}\sum_{i=1}^{n}(y_i - ax_i - b)^2$$

平方部分は、2つの変数の平均と分散と共分散で表されるように変形します。

$$\begin{aligned}
&(y_i - ax_i - b)^2 \\
&= \{(y_i - \mu_y) - a(x_i - \mu_x) + (\mu_y - a\mu_x - b)\}^2 \\
&= (y_i - \mu_y)^2 + a^2(x_i - \mu_x)^2 + (\mu_y - a\mu_x - b)^2 \\
&\quad - 2a(y_i - \mu_y)(x_i - \mu_x) + 2(y_i - \mu_y)(\mu_y - a\mu_x - b) \\
&\quad - 2a(x_i - \mu_x)(\mu_y - a\mu_x - b)
\end{aligned}$$

（P.165 に続く）

● 直線で近似する方法

近似するには、まず確率変数Xに対して何らかの何らかの直線（あるいは曲線）を仮定し、そのy座標と確率変数Yとの間の距離を最小にして直線（あるいは曲線）を決定する、という手順を踏みます。

まあこんな考え方で近似直線などが決まるということがわかっていれば十分でしょう。

実際にはEXCELなどの表計算ソフトで計算します。そしてその計算結果には「決定係数」（P160参照）が表示されます。これがだいたい0.8から0.9以上ならかなりよい近似になります。下段にEXCELのツールを示しておきます。

■ EXCEL に用意されている近似の手法

●手っ取り早く近似直線・曲線を得る方法
　グラフを描いて、グラフ系列を右クリックして［近似曲線の追加］ダイアログボックスを開くと、線型近似（直線近似）や指数・累乗・多項式などでの近似曲線を得ることができます。他に［データ］［データ分析］［回帰分析］にも同様のツールがあります。

●細かく設定して各種のデータも利用する方法
　関数を使って分析することもできます。この場合には、主に直線近似と指数関数近似だけです。ただし、「ソルバー」という機能を利用すると、ベータ関数・ガンマ関数などの任意の関数で近似することができます。
　　○直線近似　　　FORECAST、INTERCEPT、LINEST、
　　　　　　　　　　SLOPE、STEYX、TREND
　　○指数関数近似　GROWTH、LOGEST

■ 直線で近似する方法 その2

●誤差の平方の平均・分散・共分散をめざした変形

$$\begin{cases} \bar{x} = \dfrac{1}{n}\sum_{i=1}^{n} x_i = \mu_x \\ \bar{y} = \dfrac{1}{n}\sum_{i=1}^{n} y_i = \mu_y \end{cases} \begin{cases} \sigma_x^2 = \dfrac{1}{n}\sum_{i=1}^{n}(x_i - \mu_x)^2 \\ \sigma_y^2 = \dfrac{1}{n}\sum_{i=1}^{n}(y_i - \mu_y)^2 \end{cases}$$

$$\begin{aligned}
V &= \frac{1}{n}\sum_{i=1}^{n}(y_i - \mu_y)^2 + a^2 \frac{1}{n}\sum_{i=1}^{n}(x_i - \mu_x)^2 + (\mu_y - a\mu_x - b)^2 \\
&\quad - 2a\frac{1}{n}\sum_{i=1}^{n}(y_i - \mu_y)(x_i - \mu_x) + 2(\mu_y - a\mu_x - b)\frac{1}{n}\sum_{i=1}^{n}(y_i - \mu_y) \\
&\quad - 2a(\mu_y - a\mu_x - b)\frac{1}{n}\sum_{i=1}^{n}(x_i - \mu_x) \\
&= \sigma_y^2 + a^2\sigma_x^2 + (\mu_y - a\mu_x - b)^2 - 2a\,Cov(X,Y) \\
&\quad + 2(\mu_y - a\mu_x - b)\left\{\frac{1}{n}\sum_{i=1}^{n}y_i - \frac{\mu_y}{n}\sum_{i=1}^{n}1\right\} \\
&\quad - 2a(\mu_y - a\mu_x - b)\left\{\frac{1}{n}\sum_{i=1}^{n}x_i - \frac{\mu_x}{n}\sum_{i=1}^{n}1\right\} \\
&= \sigma_y^2 + a^2\sigma_x^2 + (\mu_y - a\mu_x - b)^2 - 2a(r\sigma_x\sigma_y) \quad \left(r = \frac{Cov(X,Y)}{\sigma_x \sigma_y}\right) \\
&= (\mu_y - a\mu_x - b)^2 + (a\sigma_x - r\sigma_y)^2 + \sigma_y^2(1 - r^2)
\end{aligned}$$

これらの因子は0になって項が消える

すべて平方の和に変形できる

最初の2つの平方が0になると、最小値は次のようになります。この条件から a, b が決定されます。

$$V_{Min} = \sigma_y^2(1 - r^2) \quad \begin{cases} \mu_y - a\mu_x - b = 0 \\ a\sigma_x - r\sigma_y = 0 \end{cases} \Rightarrow \begin{cases} a = \dfrac{\sigma_y}{\sigma_x}r \\ b = \mu_y - a\mu_x = \mu_y - \dfrac{\sigma_y}{\sigma_x}r\mu_x \end{cases}$$

$$y_i = ax_i + b = \left(\frac{\sigma_y}{\sigma_x}r\right)x_i + \left(\mu_y - \frac{\sigma_y}{\sigma_x}r\mu_x\right) = \left(\frac{\sigma_y}{\sigma_x}r\right)(x_i - \mu_x) + \mu_y$$

重心を通るこの直線に対して、誤差がここまで最小化できます。相関係数が1に近いほど誤差が減少します。 $V_{Min} = \sigma_y^2(1 - r^2)$

5 近似直線の使い方と季節変動の除去の方法

● 時系列データの近似直線を描く

まず、曲線に対する近似直線を求めてみます。左頁上段に、2009年の国産ビール5社のビールの出荷量を示すグラフに近似直線を追加したものです。この場合の決定係数は0.4以下なので、相関係数が小さく、あまり適当でないものように思えます。しかしこの場合の決定係数の大小は、誤差の大小の他、「元の曲線が直線に近いかどうか」によっても左右されます。

このグラフで、近似直線の図形を延長（EXCELでは「前方補外」「後方補外」といいます。P172参照）してだいたいの姿を見ることもできますが、左頁の下段のグラフは、近似直線のデータから直線の傾きとy切片を抜き出して、その値で近似直線の座標を計算して表示したものです（上段の近似直線のグラフと一致していることを確認してください）。そうすると、近似直線の上の「予測値」を得ることができます。

■ 近似直線の使い方…直線的な予測値を得る方法

●12カ月分の出荷量の折れ線グラフに近似直線を表示する

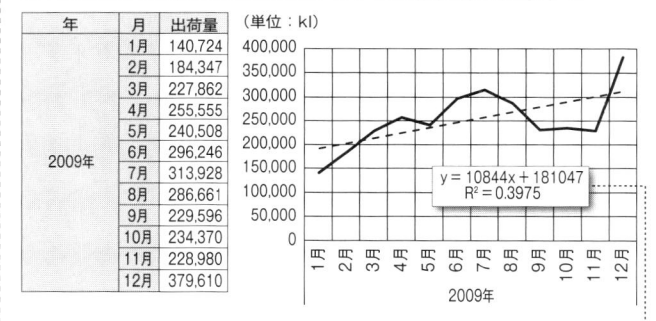

年	月	出荷量
2009年	1月	140,724
	2月	184,347
	3月	227,862
	4月	255,555
	5月	240,508
	6月	296,246
	7月	313,928
	8月	286,661
	9月	229,596
	10月	234,370
	11月	228,980
	12月	379,610

y = 10844x + 181047
R² = 0.3975

●近似直線の数値を計算し出荷量を予測する

上図に示された数式から傾きとy切片を抜き出して直線近似の計算値を求めます(この場合の「x軸の値」には1から始まる整数値を使用します)。

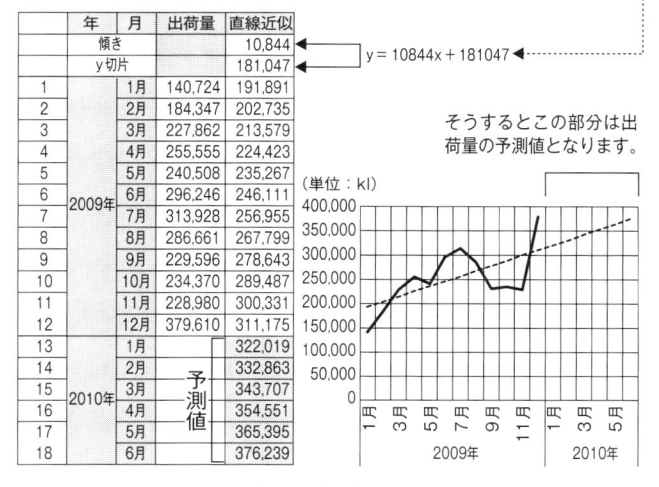

	年	月	出荷量	直線近似
	傾き			10,844
	y切片			181,047
1	2009年	1月	140,724	191,891
2		2月	184,347	202,735
3		3月	227,862	213,579
4		4月	255,555	224,423
5		5月	240,508	235,267
6		6月	296,246	246,111
7		7月	313,928	256,955
8		8月	286,661	267,799
9		9月	229,596	278,643
10		10月	234,370	289,487
11		11月	228,980	300,331
12		12月	379,610	311,175
13	2010年	1月	予測値	322,019
14		2月		332,863
15		3月		343,707
16		4月		354,551
17		5月		365,395
18		6月		376,239

y = 10844x + 181047

そうするとこの部分は出荷量の予測値となります。

(出典:ビール酒造組合HP、月別ビール課税移出数量(会員5社)
http://www.brewers.or.jp/data/t02-tukibetu.html)

167　第4章　ビジネスに本当に必要な統計解析

● 時系列データの月次変動比を求める

しかし、近似直線上の予測値ではなく、毎月の傾向を反映した予測値が欲しいとは思いませんか。そのためには、次の3段階の計算が必要です。
○月次変動比を求める
○実際の数値を月次変動比で割って、月次変動を除いた数値を求める
○月次変動を除いた数値の近似直線を求めて数値を算出する
○算出した数値に月次変動比をかけて、現実的な予測値を求める

最初の操作は一般的には「季節変動の除去」と呼ばれ、時系列に従うデータのうち1年以上の期間にわたる月次変動値の分析にはよく使われる手法です。この手法を使うと、かなり精度の高い予測値が得られます。

まず、3年程度以上の長期間の月次変動データ（出荷量など）を合計し、これを年間合計値で割って12倍し、「月次変動比」を求めます。12倍するのは、そのまま乗除に利用して「月次変動を除いた数値」を「仮想的な出荷量」としてあつかうためです。

たとえば左頁下段のグラフでは、ビールの3年分の月次出荷量をグラフで表示して

168

いますが、出荷量が増えるのは夏場と12月であり、9月～11月は大幅に落ち込みます。では「平均してどれくらいの比率で落ち込むのか」ということを勘案した予測値を求めよう、というわけです。この月次落ち込み比率が「月次変動比」です。この数値は、総計が12となるように決めておくと、月次の比率がおおむね1前後となります。

● 3年分の時系列データをグラフ化する

次に下に示した数値を3年間分つなげて全体の傾向を見てみましょう。それがP171の上段の破線に示す変動の大きいグラフです。そしてそのグラフには、P167で説明した方法で、近似直線を表示してあります。

■ 月次変動比を求める

	2007年	2008年	2009年	3年間合計	月次変動比
1月	170,749	180,887	140,724	492,360	0.609
2月	200,282	239,892	184,347	624,521	0.772
3月	285,189	203,115	227,862	716,166	0.885
4月	276,246	244,840	255,555	776,641	0.960
5月	274,085	258,884	240,508	773,477	0.956
6月	333,114	295,232	296,246	924,592	1.143
7月	354,895	366,457	313,928	1,035,280	1.280
8月	364,476	310,897	286,661	962,034	1.189
9月	255,369	243,983	229,596	728,948	0.901
10月	257,161	250,254	234,370	741,785	0.917
11月	279,020	245,418	228,980	753,418	0.931
12月	408,702	391,130	379,610	1,179,442	1.458
合計	3,459,288	3,230,989	3,018,387	9,708,664	12.000

さてその近似直線の決定係数を見てみるとほとんどゼロであり、これは近似が意味をなしていない、傾向がないことを意味します。これでは何をやってるのかわかりません。そこで、「修正前のデータ」(前頁下段に示した2007年から2009年までの実際の出荷量)を、さきほど求めた月次変動比で割って、「修正後のデータ」(季節変動を除いた出荷量)を求め、これをグラフ化して、その近似直線と決定係数を表示させます。すると決定係数が0・44まで大きくなりました。これでもあまり良い近似とはいえませんが、とりあえずこのまま先に進みます。

● 月次変動値を予測する

月次変動を除いた出荷量で予測した数値に月次変動を戻すには、前頁で求めた月次変動比をかけます。左頁の表の最下部で、月次変動予測値と実際の出荷量とを比較しています。左の大きな表の一部は百万ℓ単位、その右の小さな表はkℓ単位で表示し、その表に予測値と実際値の比率(誤差)を示しています。その誤差は最大20％程度であり、グラフでは、予測値と実際値は非常に近い動きをしています。元々「修正後」にしても変動の大きな数値からの予測なので、精度は十分と思います。

■ 近似直線の使い方…現実に即した予測値を得る方法

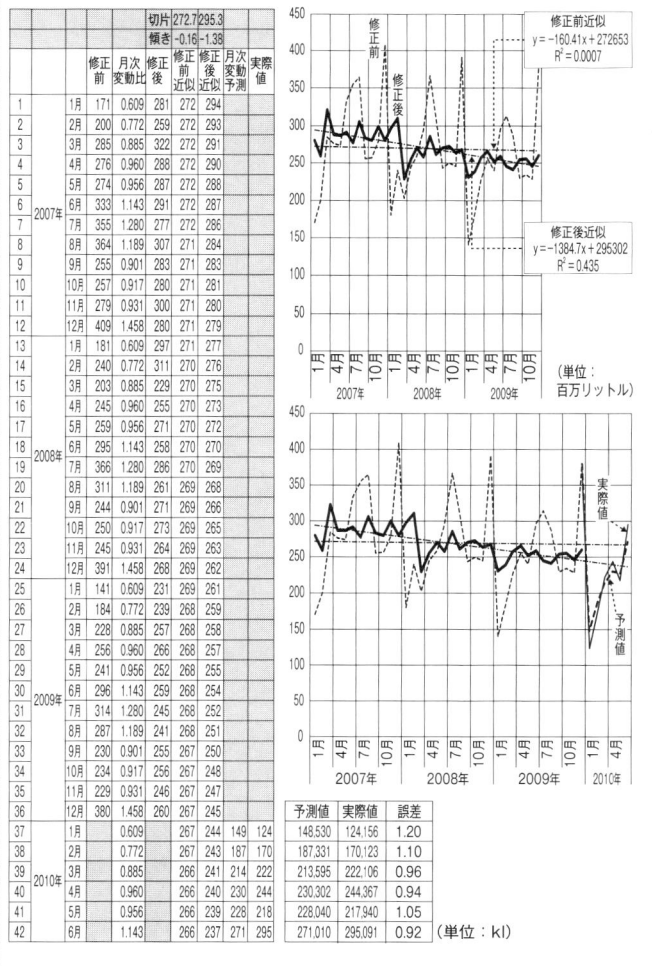

			切片	272.7	295.3		
			傾き	-0.16	-1.38		
		修正前	月次変動比	修正後	修正前近似	修正後近似	月次変動予測	実際値

			修正前	月次変動比	修正後	修正前近似	修正後近似	月次変動予測	実際値
1		1月	171	0.609	281	272	295		294
2		2月	200	0.772	259	272	293		
3		3月	285	0.885	322	272	291		
4		4月	276	0.960	288	272	290		
5		5月	274	0.956	287	272	288		
6	2007年	6月	333	1.143	291	272	287		
7		7月	355	1.280	277	272	286		
8		8月	364	1.189	307	271	284		
9		9月	255	0.901	283	271	283		
10		10月	257	0.917	280	271	281		
11		11月	279	0.931	300	271	280		
12		12月	409	1.458	280	271	279		
13		1月	181	0.609	297	271	277		
14		2月	240	0.772	311	270	276		
15		3月	203	0.885	229	270	275		
16		4月	245	0.960	255	270	273		
17		5月	259	0.956	271	270	272		
18	2008年	6月	295	1.143	258	270	270		
19		7月	366	1.280	286	270	269		
20		8月	311	1.189	261	269	268		
21		9月	244	0.901	271	269	266		
22		10月	250	0.917	273	269	265		
23		11月	245	0.931	264	269	263		
24		12月	391	1.458	268	269	262		
25		1月	141	0.609	231	269	261		
26		2月	184	0.772	239	268	259		
27		3月	228	0.885	257	268	258		
28		4月	256	0.960	266	268	256		
29		5月	241	0.956	252	268	255		
30	2009年	6月	296	1.143	259	268	254		
31		7月	314	1.280	245	268	252		
32		8月	287	1.189	241	268	251		
33		9月	230	0.901	255	267	250		
34		10月	234	0.917	256	267	248		
35		11月	229	0.931	246	267	247		
36		12月	380	1.458	260	267	245		
37		1月		0.609		267	244	149	124
38		2月		0.772		267	243	187	170
39	2010年	3月		0.885		266	241	214	222
40		4月		0.960		266	240	230	244
41		5月		0.956		266	239	228	218
42		6月		1.143		266	237	271	295

修正前近似
$y = -160.41x + 272653$
$R^2 = 0.0007$

修正後近似
$y = -1384.7x + 295302$
$R^2 = 0.435$

(単位:百万リットル)

予測値	実際値	誤差
148,530	124,156	1.20
187,331	170,123	1.10
213,595	222,106	0.96
230,302	244,367	0.94
228,040	217,940	1.05
271,010	295,091	0.92

(単位:kl)

171 第4章 ビジネスに本当に必要な統計解析

■ 近似曲線のオプション設定

下図に、Excel2007の[近似曲線の書式設定]ダイアログボックスを示します。グラフ系列を右クリックして表示されるメニューから[近似曲線の追加]を選択して表示されるダイアログボックス(下図)で[線形近似]を選択すると近似直線を描くことができます。

最下段のチェックボックスをチェックすると数式や決定係数(R-2乗値)を表示することができます。他のバージョンの場合もほぼ同様の設定が可能です。

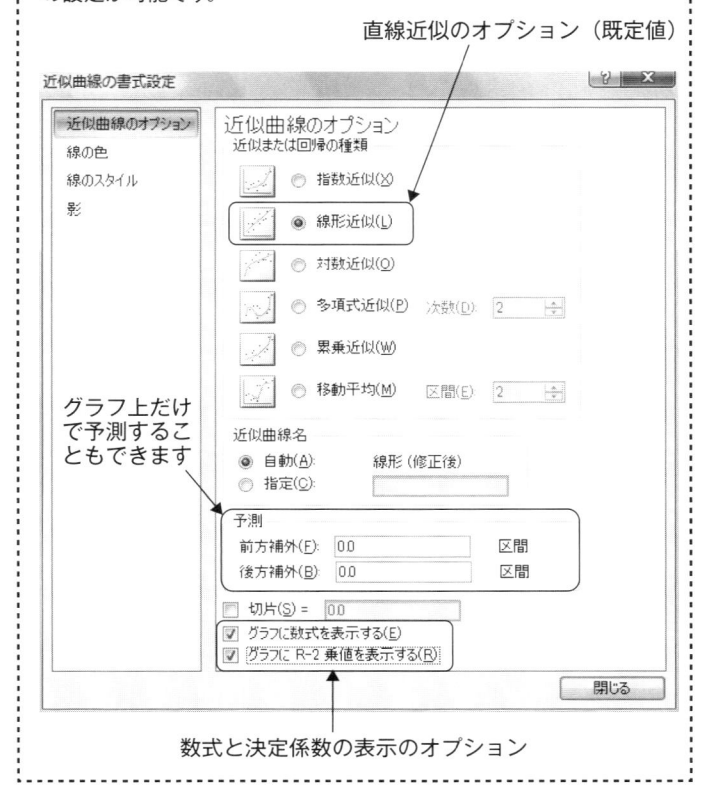

直線近似のオプション(既定値)

グラフ上だけで予測することもできます

数式と決定係数の表示のオプション

第5章
ウソも見破る推定・検定のテクニック

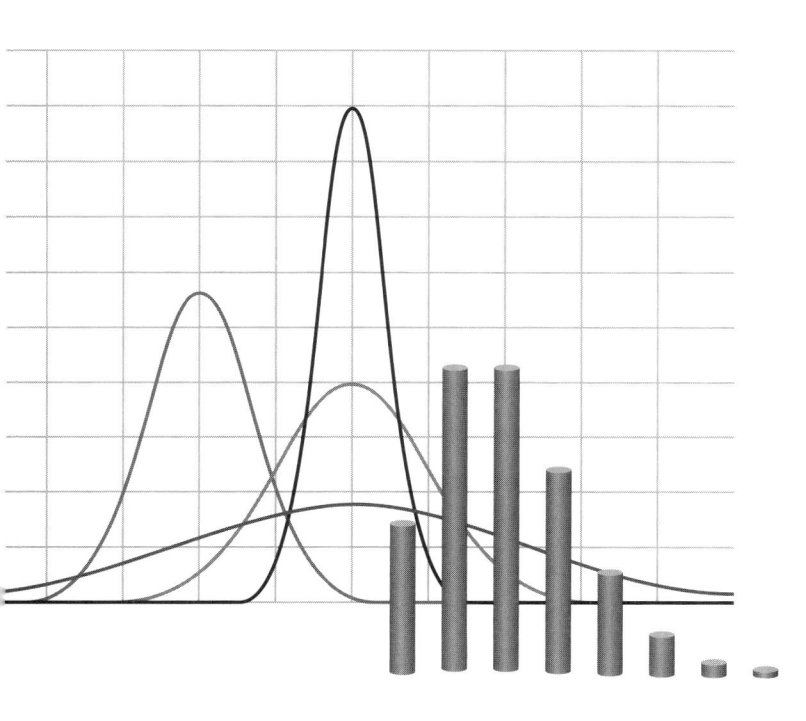

1 データの中身の違いにだまされるな

●比較していいものかどうかを判断しよう！

たとえば「東京都の年間犯罪件数が13万7千件で全国一です」といわれて驚いてはいけません。東京都の人口は日本一なので、犯罪件数が日本一なのは当たり前なのです。そして東京に次ぐのが、大阪、愛知、埼玉、神奈川です。

重要なのは、これを人口で割った人口あたりの犯罪件数であり、これを比較すると日本一が大阪、次いで愛知、京都となります。単純に年間犯罪件数を比べても何もわかりません。比較すべきものの判断が必要です。

実はこの話にはもう1つ裏があります。この犯罪件数は「刑法犯認知件数」というデータなのですが、そこにもう1つ落とし穴があるのです。これは実際には「発生件数」ではなく、犯罪白書で次のように定義された「認知件数」なのです。

■ 犯罪発生率ランキング

	刑法犯認知件数	認知件数／人口	減少率
1	東京都	大阪	秋田
2	大阪	愛知	富山
3	愛知	京都	宮城
4	埼玉	福岡	青森
5	神奈川	東京都	福島

■ 2010年～2011年の犯罪発生件数（認知件数）

	項目	2010年9月末 刑法犯認知件数	順位	認知件数/人口	順位	2011年9月末 刑法犯認知件数	順位	認知件数/人口	順位	増減率 認知件数/人口	順位	人口（2011年9月末）
	単位	千件		件/千人		千件		件/千人		件/千人		千人
1	東京都	145	1	11.2	5	137	1	10.5	5	-6%	30	13,010
2	大阪	122	2	13.8	1	115	2	13.1	1	-5%	32	8,833
3	神奈川	70	5	7.8	22	64	5	7.1	21	-8%	17	9,009
4	愛知	97	3	13.1	2	90	3	12.2	2	-7%	27	7,406
5	兵庫	60	7	10.8	8	56	7	10.0	7	-8%	22	5,590
6	埼玉	79	4	11.0	7	74	4	10.3	6	-6%	29	7,179
7	福岡	59	8	11.7	4	55	8	10.8	4	-8%	19	5,061
8	北海道	39	9	7.0	27	38	9	6.8	25	-3%	36	5,521
9	千葉	69	6	11.1	6	61	6	9.9	8	-11%	9	6,190
10	京都	32	10	12.2	3	29	10	10.9	3	-10%	12	2,625
11	静岡	29	12	7.8	21	27	12	7.1	22	-9%	16	3,776
12	広島	22	13	7.5	24	20	13	6.9	24	-9%	15	2,858
13	茨城	31	11	10.4	9	29	11	9.7	9	-7%	25	2,962
14	新潟	16	20	6.7	31	16	19	6.6	28	-2%	42	2,373
15	宮城	18	15	7.9	20	16	20	6.6	27	-15%	3	2,334
16	岐阜	19	14	9.0	13	19	14	9.0	11	0%	46	2,080
17	岡山	18	16	9.3	11	18	15	9.3	10	0%	45	1,939
18	長野	13	22	6.3	35	13	21	6.2	33	-2%	41	2,152
19	群馬	16	19	8.2	18	16	18	8.0	17	-2%	39	2,001
20	栃木	18	18	8.8	15	17	16	8.6	13	-2%	37	2,005
21	福島	14	21	7.0	26	12	23	6.0	34	-15%	5	2,032
22	山口	9	28	6.4	33	9	28	5.9	35	-7%	24	1,450
23	熊本	11	25	6.3	34	11	24	5.9	36	-6%	20	1,810
24	長崎	7	33	4.7	44	6	34	4.5	44	-5%	31	1,422
25	三重	18	17	9.6	10	16	17	8.8	12	-8%	18	1,855
26	鹿児島	8	30	5.0	43	8	30	4.6	41	-7%	26	1,705
27	沖縄	10	27	6.9	28	9	27	6.8	26	-2%	38	1,385
28	奈良	11	26	7.8	23	10	26	7.2	20	-8%	23	1,398
29	愛媛	13	23	8.8	14	12	22	8.6	14	-3%	35	1,430
30	青森	8	32	5.5	39	6	33	4.7	40	-15%	4	1,374
31	滋賀	12	24	8.3	17	10	25	7.3	18	-12%	8	1,401
32	和歌山	9	29	9.1	12	8	29	8.2	15	-9%	14	1,002
33	岩手	6	41	4.2	46	5	41	3.6	46	-13%	7	1,333
34	大分	7	36	5.5	38	6	35	5.3	38	-4%	34	1,192
35	宮崎	7	34	5.9	36	7	31	6.3	31	6%	47	1,128
36	山形	5	43	4.6	45	5	41	4.1	45	-10%	13	1,174
37	秋田	4	45	3.8	47	3	46	3.0	47	-20%	1	1,090
38	石川	6	38	5.3	41	6	38	5.2	39	-2%	40	1,164
39	富山	6	39	5.5	40	5	40	4.6	42	-16%	2	1,091
40	香川	8	31	8.0	19	7	32	6.9	23	-13%	6	996
41	佐賀	6	37	7.4	25	6	36	7.3	19	-2%	43	850
42	福井	5	44	5.6	37	4	44	5.4	37	-5%	33	806
43	山梨	6	40	6.8	30	5	39	6.3	30	-7%	23	865
44	高知	7	35	8.6	16	6	37	8.0	17	-8%	21	772
45	徳島	5	42	6.9	29	5	42	6.2	32	-10%	11	785
46	島根	4	47	5.1	42	3	47	4.5	43	-11%	10	716
47	鳥取	4	46	6.5	32	4	45	6.4	29	-1%	44	588

（出典：群馬県警HP）

「認知件数とは、警察等捜査機関によって犯罪の発生が認知された件数をいう。認知件数と実際の発生件数は一致しないことが多いが（その差を暗数という。）公的に認知された発生件数という意味において、認知件数は単に発生件数ともいう。」(昭和56年犯罪白書より。翌年以降削除)

そして、犯罪の「認知」とは、告訴・告発による被害関係者からの被害届が全体の8割を占め、110番通報などによる情報なども含めてこれらを「発生原票」に記載すると犯罪統計で認知に計上されます。

ところが、警察署で受理した被害届のすべてが発生原票に記載されるわけではなく、書き込むかどうかには受理した警察官の判断が介入していました。そして2001年あたりから大阪府警では、被害届の発生原票への記載が厳格化されているといわれています。

そうすると、発生原票への記載の厳格化がなされている都道府県の方が犯罪発生率は大きく表れます。この状況の変化によって、大阪や富山県などで前年比数割の犯罪件数の増加が発生しました。このような急激な増加は、今はもうおさまっているようですが、どのようにおさまったのかは不明です。

176

この件にはこれ以上踏み込みませんが、業界によっては「認知件数を発生件数とみなす」ようなことが常識となっていて、普通の日本語とは異なるあつかいが隠されている可能性は排除できません。このことへの注意として本件を取り上げました。

● 単位・対象の大きさに気を付けよう！

本件を調べていてもう1つ、不思議な点に気が付きました。犯罪件数は「人口10万人あたりの発生状況」として公表されていますが、どうもこれがまた納得いきません。「年間で10万人当たり1000件」といわれるとあまり気にならないのですが、「年間で千人当たり10件」といわれるとぞっとしませんか。分母を大きくすることで、何となくインパクトが弱められている気がします。実はもう1つ問題があります。

単に「人口10万人あたりの発生状況」として書かれているとそのまま読み飛ばしてしまいそうですが、この「人口」には、12歳以下の児童や80歳超の高齢者も含まれています。約2割を占めるこれらを除くと、毎年「身の回りにいるふつうの人々」の80人に1人が犯罪に巻き込まれているという恐ろしい事実が浮かび上がってきます（地方ではこのほぼ半分です）。このような問題にもつねに注意を払う必要があります。

2 グラフによくあるウソ

● グラフの一部を削るとこうなる

 これは「統計」というにはあまりに稚拙な話なのですが、左頁の2つのグラフを見てどう感じるでしょうか。日本の銀行の定期金利は、よくて年利0・4％というお粗末なものになっていますので、取り上げる気にもならないのですが、豪州定期金利は5％ともいわれるのでその数値を使って描いてみました。

 左頁下段の2枚のグラフは、まったく同じ数値をグラフ化したものですが、グラフの描き方によって、受けるイメージがまったく異なることがわかるでしょう。これらは元金100万豪ドルが複利の年利5％で増えていくようすを表しており、右図は数値軸が0豪ドルから始まっていますが、左図は80万豪ドル以下が削られています。

 そうすると、右図でも十分な急カーブでお金が増えていきますが、左図ではまるでお金が3倍にでもなりそうに見えます。これは完全に「ウソ」です。日頃目にする、特に折れ線グラフをよく見てください。この手の「ウソ」が蔓延しています。

178

●グラフの一部を削るのはウソかホント

このような「小さな値の部分を表示しない」という操作が、かならずしもすべて「ウソ」というわけではないでしょう。問題は「だます」つもりがあるかどうかです。

右下図は数値の比率と視覚的比率が同じですが、左下図は数値の比率と視覚的比率が異なります。確かに左下図の方がデータの動きがダイナミックで目立つのですが、それを悪用してはいけないでしょう。

「増加を強調したい」場合は「ウソ」ですが、「拡大してグラフの細かい部分を見せたい」場合はウソではないでしょう。ただし、左下部の「波線を使った削除の明示」は必須です。

■ 同じデータによる2つのグラフ
●目盛の一部を削った場合　●目盛の一部を削らない場合

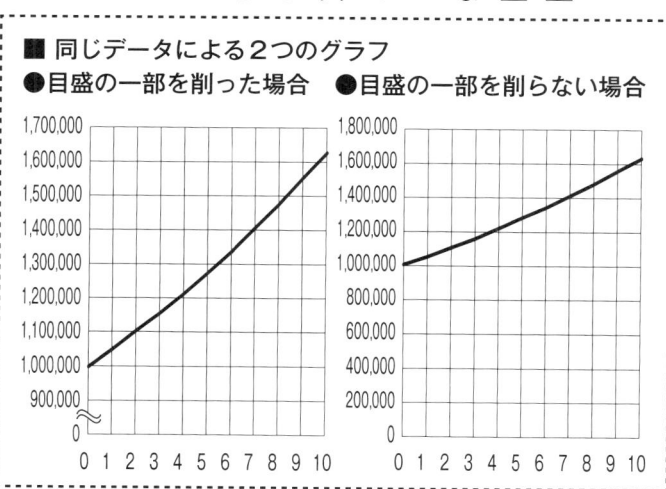

3 質問の内容・聞き方・分析の方法に含まれるウソ

● 質問の回答の整理の仕方に問題がある場合

昔の大学の自治会やテレビニュースではよくこんな話があったと記憶しています。

[質問] 原発には賛成ですか反対ですか？
[選択肢] 1．賛成　2．どちらともいえない　3．反対

という質問に対して、「賛成：40％、反対：30％、どちらともいえない：30％」であった場合にこれを、「原発に賛成：40％、原発に賛成できない：60％」というように整理することがよく行われていました。当時は非常にあきれたものですが、最近はどちらも成長したようで、こんないい加減な話は最近は見なくなりました。

何がおかしいかはおわかりと思いますが、これは、「どちらともいえない」という回答者の意見を、賛成ではないのだから反対者と合わせて「賛成できない」という意見に「組み直して」しまって反対者に近い方が多いと思わせるように、質問者が傾向を恣意的にネジ曲げてしまっているわけです。

180

こういう場合に重要なことは、「どのような質問をしたのか」「どのような選択肢があったのか」「回答には整理作業が加えられていないか」ということをしっかりと確認しなければならず、マスメディアの場合にはこれらを明示しなければなりません。

● 質問とその対象者に関連がある場合

右の例は回答者自身にはあまり関係がない話ですが、回答者に直接関係する内容に関しての質問では、正確な回答が得られないことがあります。「自分の年収」などを尋ねると高めに答え、歯磨きの回数を尋ねると回数を多めに答えるのがふつうです。

これらよりもっと切実な話は、「さきほど飲んだ薬は効きましたか」と尋ねた場合に、多くの人は「効きました」と答えるのだそうです。今度は、本人が意識しなくても、何の効果もなくても効いたように「錯覚」してしまうのです。

このようなことを避けるために、新薬の試験の際には試験者を「本当の薬」を飲むグループと「偽の薬」（偽薬＝ぎやく、または「プラセボ」といいます）を飲むグループに分けて試験します。このような検査手法を「独立性検定」と呼びます（P202参照）。

4 統計による推定と検定はどう使う?

●使いにくくわかりにくい統計

統計をどう使うかというと、もっとも便利なものは、前章で述べた最小2乗法による近似直線や近似曲線を求める手法(これは「回帰分析」とも呼ばれます)ではないかと思います。これを超えた方法論は、下表に示すように、推定または検定と呼ばれる手法によります(回帰分析もその一種です)。

しかし統計という方法から得られるものは、いずれも、「AだからB」というように明確に語られるものではなく、「○○の確率でBといえる」程度しか語ることができない、不便な

■ 推定と検定の種類と分類

推定	点推定		
	区間推定		
検定 (仮説検定)	パラメトリック 検定	t検定	
		F検定	
		分散分析	
		回帰分析	
	ノン パラメトリック 検定	二項検定	
		カイ二乗検定 (χ^2)	適合度検定
			独立性検定
		フィッシャーの正確確率検定	

182

代物です。最小2乗法による近似直線や近似曲線さえも、決定係数が小さければあまり信用できない、確認しながら恐る恐る使うしかしようのない、現代においては非常に頼りない方法論といわざるを得ません。

まず「推定」は、「正しい数値はいくらか」を推定します。「点推定」は一点の値を推定しますが、その誤差は大きく、あまり使い物にはなりません。次に「区間推定」は、「○○の範囲で○○の数値が正しい」という頼りないものです。これらに対して「検定」は「仮説検定」とも呼ばれ、ある「仮説」を立てて、それが「○○の範囲で間違っているとはいえない」という回りくどい論法でしか結論付けることができない方法論です。

最近は「ベイズ統計」という方法論が台頭しており、こちらの方が「わかりやすい」統計学を確立してくれそうな気もしていますが、今のところは古典的統計よりも一層難解で、古典的統計なしに最初からベイズ統計の方法論だけで統計を語れる時代が来なければ、頼りがたいのが実情でしょう。

統計学が素人にはわかりにくく、おもしろくなく、むずかしく思われてしまうのは以上のような理由からだと思います。高校の数学では、この学問の中でもっとも近づ

きやすく成果も何とか使える「区間推定」しかあつかいません。また、これらの統計を使う際には本章の第1節から第4節までで述べた事項に注意しなければならないのは当然です。

●それでも使える統計の手段

そんなに面倒でむずかしいので、高校数学でもほんの入口しか教えないのですが、残念ながら、経済学、自然科学、社会科学、医学、薬学、心理学、言語学など広い分野では必須の学問となっています。もっとも利用頻度が高いのは生産管理でしょうか。この分野では、膨大な製品の全量検査に替わって抽出した標本を検査して母集団の品質を調べます。生産設備を持つ企業では大半の社員が必要になります。

医療では検体の検査で処置の方法の正しさを評価します。この場合も全細胞を処置するわけにはいかず、患者の数も膨大なので、一部の標本の研究で母集団の性質を調べざるを得ないからです。左頁下段に、医療統計学で利用される検定手法の例を示します（見て驚くだけで十分です。難しすぎるので全部は解説しません。せいぜいP182の表に示した内容までです）。

●検定の種類には2つの種類がある

検定の手段は「パラメトリック検定」と「ノンパラメトリック検定」に分けられます。

「パラメトリック」とは母集団の性質が何かのパラメータで決まっているという意味であり、正規分布など、パラメトリックなモデルを仮定して行う検定をパラメトリック検定といいます。

これに対して「分割表」という手法を使って、母集団のパラメータを仮定しない検定をノンパラメトリック検定といいます。

医療統計学における検定手段の例

差/相関	比較データ間の対応性	変数の種類	正規性	比較する群の数	サンプル数	適切な統計手法
差	対応なし	連続変数	正規分布	2	総数30以上	スチューデントのt検定
				>2	1群15以上	一元配置分散分析
		連続変数/順序変数	非正規分布(連続変数)	2	制限なし	マン・ホイットニーのU検定* ウィルコクソンの順位和検定*
				>2	制限なし	クラスカル・ウォリス検定*
		2値変数		2	総数20未満	フィッシャーの正確確率検定*
				≧2	総数20以上	ピアソンのカイ2乗検定
		打ち切り例のある2値変数		≧2	イベント総数10以上	ログランク検定
	対応あり	連続変数	正規分布	2	15組以上	対応のあるt検定
				>2	15組以上	反復検定による分散分析
		連続変数/順序変数	非正規分布(連続変数)	2	制限なし	ウィルコクソンの符号順位検定*
				>2	制限なし	フリードマン検定*
		2値変数		2	制限なし	マクネマー検定
相関(関連性)		連続変数	正規分布		総数20以上	ピアソンの相関係数
		連続変数/順序変数	非正規分布(連続変数)		制限なし	スピアマンの順位相関係数*
		2値変数			制限なし	ケンドールの順位相関係数* カッパの相関係数(一致性)

*ノンパラメトリック検定,それ以外はパラメトリック検定を示す。
(出典:医学書院 週刊医学界新聞 第2927号/2011年05月09日、
「今日から使える医療統計学講座」/「表 統計手法を選択する際の6つのチェックポイント」、
著者:新谷歩/米国ヴァンダービルト大学准教授・医療統計学、
http://www.igaku-shoin.co.jp/paperDetail.do?id=PA02927_03#a)

5 データを統計的に推定するには

●データの点推定を行うとは？

「点推定」とは、母集団の母平均、母分散、母比率（まとめて「母数」といいます）を、母集団から抽出した標本をもとにして、「1つの値」として求めることです。たとえば母平均を求めるには、単に標本の平均を求めるだけあり、これが母平均の推定値です。同様に母分散の推定値としては標本の不偏分散を求めます。これは高校数学ではあらためて「点推定」とは呼ぶことはありませんが、実質的には高校数学の一部と考えて構いません。

●データの区間推定の手法で母平均を推定する

これは高校数学では「数学C」に含まれる内容であり、左頁に示すように、P35に示した「標準化」の原理とP110で解説した「中心極限定理」（この定理は高校数学で登場していますが名前は登場しません）とを組み合わせて利用します。

186

■ 標本から母平均を推定する…その1

● 母平均と母分散がわかっている母集団からの標本の抽出

中心極限定理より「母平均 μ、母分散 σ^2 の母集団から抽出した、十分に大きなサイズ n の標本の平均の分布は正規分布 $N\left(\mu, \dfrac{\sigma^2}{n}\right)$ に従います。するとその標準化した確率変数は $Z = \dfrac{\sqrt{n}}{\sigma}(\bar{X} - \mu)$ となり、これは標準正規分布 $N(0,1)$ に従うことになります。

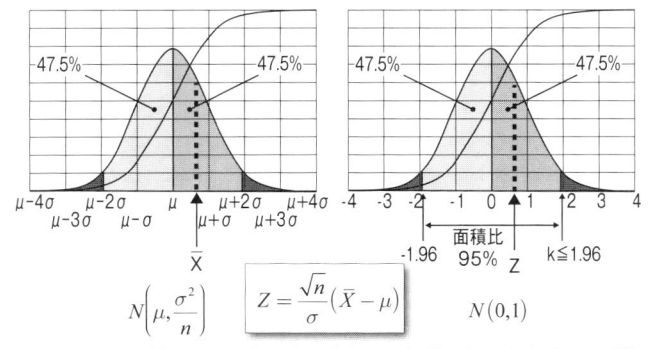

この標準化の手続きは、正規分布の代わりに標準正規分布を使って計算を簡単かつわかりやすくするためによく利用されます。標本平均の座標が Z に変換され、左上のグラフで μ 値より左でどこまで合計すればその面積割合が47.5%（=95%/2）になるのか（正規分布のグラフは左右対称なので、右半分または左半分の面積を2倍すればよい）、その位置を右上のグラフで探します。すると、右上図で原点から k≦1.96 までの面積の2倍が0.95となることがわかります。Z の絶対値と k の位置関係に関して次のことがわかり、ここから母平均 μ の値に関して次のような不等式が得られます。右上図で、次の関係が成立します。

$$P(|Z| \leq k) = \int_{-k}^{k} f(u)du = 2\int_{0}^{k} f(u)du$$

$$f(x) = \dfrac{1}{\sqrt{2\pi}} \exp\left(-\dfrac{x^2}{2}\right)$$

$$F(k) = \int_{0}^{k} f(u)du$$

$2F(k) = 0.95 \Rightarrow F(k) = 0.475 \Rightarrow k = 1.96$

■ 標本から母平均を推定する…その2

●不等式の変形による「信頼度95%の信頼区間の定理」の導出

前頁で示したように、正規分布における平均からのずれの範囲が、標準正規分布の $|Z| \leq k$ という範囲に変換されて、その面積割合(=確率)が95%になる場合の k の値が1.96です。
これは次の方程式の解であり、一般的には数表か表計算ソフトExcelなどから値を取得します。

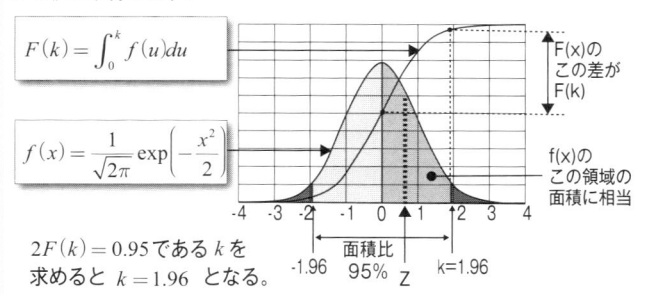

$$F(k) = \int_0^k f(u)du$$

$$f(x) = \frac{1}{\sqrt{2\pi}} \exp\left(-\frac{x^2}{2}\right)$$

$2F(k) = 0.95$ である k を求めると $k = 1.96$ となる。

●「信頼度95%の信頼区間の定理」の導出

正規分布における平均からのずれの範囲が、標準正規分布における範囲に変換されて、面積割合(=確率)が95%になる場合の k 値が1.96とわかりました。これを最初の不等式に当てはめると、最初の正規分布における母平均の範囲が限定されます。

$Z = \dfrac{\bar{X} - \mu}{\dfrac{\sigma}{\sqrt{n}}}$ を $|Z| \leq k$ に代入して整理する。

$$\left|\frac{\bar{X} - \mu}{\frac{\sigma}{\sqrt{n}}}\right| \leq k \Leftrightarrow |\bar{X} - \mu| \leq \frac{\sigma}{\sqrt{n}}k \Leftrightarrow \bar{X} - \frac{\sigma}{\sqrt{n}}k \leq \mu \leq \bar{X} + \frac{\sigma}{\sqrt{n}}k$$

この関係を最初の確率の式に代入して整理すると、

$$P\left(\bar{X} - \frac{\sigma}{\sqrt{n}}k \leq \mu \leq \bar{X} + \frac{\sigma}{\sqrt{n}}k\right) = 2F(k)$$

この関係に k と $F(k)$ の数値を代入して右の式が得られます。

$$P\left(\bar{X} - 1.96\frac{\sigma}{\sqrt{n}} \leq \mu \leq \bar{X} + 1.96\frac{\sigma}{\sqrt{n}}\right) = 0.95$$

データの区間推定は、どうやって使うかを示した方がわかりやすいと思います。

○例題1　ある都市の男子高校生の100人の平均身長が165.5cm、母標準偏差が10cmのとき、その年の男子高校生の平均身長はいくらと推定できるか。信頼度95%での信頼区間を求めよ。

その都市の男子高校生の平均身長は、全員計測しなくとも、下段に示すように、100人の場合は標本平均±2cmとなります。225人の場合を計算すると±1.3cmとなります。いずれの場合も、信頼度（右頁参照）は95%であり、5%はこの範囲から外れることがある、という推定です。

点推定は標本平均を求めるだけでしたが、区

■ 母平均の推定の例

$P\left(\bar{X} - 1.96\dfrac{\sigma}{\sqrt{n}} \leq \mu \leq \bar{X} + 1.96\dfrac{\sigma}{\sqrt{n}}\right) = 0.95$ に、以下の数値を代入する。

$\bar{X} \in N\left(\mu, \dfrac{\sigma^2}{n}\right) \Rightarrow \begin{cases} \bar{X} = 165.5 \\ \sigma = 10.0 \\ n = 100 \end{cases}$

$\Rightarrow 165.5 - 1.96\dfrac{10}{10} \leq \mu \leq 165.5 + 1.96\dfrac{10}{10} \Rightarrow \boxed{163.5 \leq \mu \leq 167.5}$

$\bar{X} \in N\left(\mu, \dfrac{\sigma^2}{n}\right) \Rightarrow \begin{cases} \bar{X} = 165.5 \\ \sigma = 10.0 \\ n = 225 \end{cases}$

$\Rightarrow 165.5 - 1.96\dfrac{10}{15} \leq \mu \leq 165.5 + 1.96\dfrac{10}{15} \Rightarrow \boxed{164.2 \leq \mu \leq 166.8}$

●データの区間推定の手法で母比率を推定する

「母平均の推定」と類似した推定が「母比率の推定」です。母比率とは母集団の中で「ある性質を持つものの割合」として定義されたものであり、たとえば「製品の中の不良品の割合」（不良品率）や「市場における顧客の割合」（市場占有率）などです。この場合には、標本平均の場合の平均と分散の関係は使えません。左頁上段に、両者の推定の考え方を比較しました。

○例題2　ある工場の製品から100個の標本を無作為抽出して検査したところ10個の不良品があった。この製品の不良品率を95％の信頼度で推定せよ。

この場合には、非復元抽出の繰り返しは二項分布になりますが、標本数が大きい場合は正規分布で近似できます。そうして例題2を解きます。標本数が100個の場合は、上限・下限の幅は0・06でありあまり小さくありません。標本数が1000個でもまだ大きい場合は、片幅を指定して必要な標本数を求めることもできます（左頁参照）。

■ 標本から母平均を推定する…その2

●母平均の推定と母比率の推定の違い

○母平均の推定： $Z = \dfrac{\bar{X} - \mu}{\dfrac{\sigma}{\sqrt{n}}} \Rightarrow P\left(\dfrac{|\bar{X} - \mu|}{\dfrac{\sigma}{\sqrt{n}}} \leq 1.96\right) = 0.95$

母比率の場合には母分散が次のように変わり、変換式も変わります。

○母比率の推定： $Z = \dfrac{X - \mu}{\sigma} \Rightarrow P\left(\dfrac{X - \mu}{\sigma} \leq 1.96\right) = 0.95$

標本数が十分大きければ次のような正規分布に近づく $\begin{cases} \mu = np \\ \sigma^2 = np(1-p) \end{cases}$

したがって、 $Z = \dfrac{X - np}{\sqrt{np(1-p)}} \Rightarrow P\left(\dfrac{X - np}{\sqrt{np(1-p)}} \leq 1.96\right) = 0.95$

●標本数が十分大きい場合の母比率の推定

$P\left(|X - np| \leq 1.96 \times \sqrt{np(1-p)}\right) = 0.95$

$\dfrac{X}{n} = p_0 \xrightarrow{n \gg 1} p$ であるから X を np_0 で差し替えて $p \fallingdotseq p_0$ とみなすと

$|X - np| \leq 1.96 \times \sqrt{np(1-p)} \Rightarrow |p - p_0| \leq 1.96 \times \sqrt{\dfrac{p_0(1-p_0)}{n}}$

●例題2

不良品率を求めると、 $p_0 = \dfrac{X}{n} = \dfrac{10}{100} = 0.1$

$|p - p_0| \leq 1.96 \times \sqrt{\dfrac{p_0(1-p_0)}{n}} \Rightarrow |p - 0.1| \leq 1.96 \times \sqrt{\dfrac{0.1 \times 0.9}{100}} = 0.06$

標本数100個の場合は $0.04 \leq p \leq 0.16$ となり、幅は 0.12。

$|p - p_0| \leq 1.96 \times \sqrt{\dfrac{p_0(1-p_0)}{n}} \Rightarrow |p - 0.1| \leq 1.96 \times \sqrt{\dfrac{0.1 \times 0.9}{1000}} = 0.02$

標本数1000個の場合は $0.08 \leq p \leq 0.12$ となり、幅は 0.04。これをさらに半分にするには、片幅を0.01として3457個以上の標本が必要。

$|p - p_0| \leq 1.96 \times \sqrt{\dfrac{p_0(1-p_0)}{n}} \leq 0.01 \qquad n \geq \left(\dfrac{1.96}{0.01}\right)^2 (0.1 \times 0.9) = 3457$

6 検定とは何だ？

● 仮説検定の仮説は「帰無仮説・対立仮説・有意水準の組み合わせ」

仮説検定は、ある仮説が正しいといってよいかどうかを統計的・確率的に判断するための「アルゴリズム」です。数学的帰納法よりはるかに面倒な手続きが必要であり、ここからは大学の数学に属します。肩の凝る4文字熟語がズラズラ並ぶ、とてもとっつきにくい方法論は、かなり人気が薄いものでしょう。できるだけやさしく、わかりやすい部分だけを解説してみます。

推定と違って検定は、次のようなプロセスを踏みます。ただし、信頼度と同様の「有意水準」という概念が出てきます。「これが正しい」といいきるのではなく、「有意水準X％で正しい」としかいえない、ということです。

○ 証明したい仮説を否定した仮説を「帰無仮説」に設定する
○ 帰無仮説を否定した考えを「対立仮説」（種類は3つある）とする
○ 標本から、仮説の成否を判断するための「検定統計量」を計算する

- 検定統計量を適切な確率分布に当てはめてその位置を認識する
- 「有意水準」をもとに帰無仮説の「棄却」を判断して結論を得る

●帰無仮説・対立仮説・棄却・有意水準・検定統計量・確率分布の意味

さて最初に、これらの「こむずかしい」用語の意味を解説しましょう。

「帰無仮説」とは、棄却されて（無に帰して）初めて目的が達せられる仮説であり、仮説検定ではこれを否定する作業が続きます。このように呼ばれる理由は、だいたいの場合において、帰無仮説が「○○であるため、有意水準○○によって棄却される」というロジックで否定されるからです。「対立仮説」は、ほぼ「証明したい仮説」と同じなのですが、帰無仮説に対しての対立仮説の立て方は3種類あるので、微妙に異なることもあります。「棄却」とは「捨てて取り上げない」という意味です。

「有意水準 a」は、帰無仮説を棄却する正確さを指定する定数であり、多くは5％ですが、1％のこともあります。有意水準 a の仮説検定では、確率が a より小さい時に帰無仮説を棄却します。このとき、「統計量は a 水準で有意」と表現します。

これが0％でないということは、帰無仮説を棄却する判断が間違っている可能性が

あるということであり、正しい帰無仮説を誤って棄却してしまうことを「第1種の過誤」、間違った帰無仮説を棄却できないことを「第2種の過誤」といいます。

「検定統計量」とこの場合の「確率分布」は、帰無仮説を棄却するために選定されたツールのペアです。左頁の表に示すように、たとえば母分散が既知の場合に母平均を検定する場合、左頁の表の中央の列に示す検定統計量を計算して、その数値が「自由度nの標準正規分布」において信頼度95％の範囲に収まらなければ、帰無仮説が「有意水準5％で棄却」されます。

●検定統計量と確率分布の組合せ

仮説検定では、どんなことでも検定できるというわけではありません。左頁の表に示すように、母平均や母分散が既知か未知かで方策が分かれ、複数の母集団を検定する場合には平均の差や母分散の比を検定します。仮説検定では、これらは個別には解説しできるように仮説検定を設定する必要があります（本書ではこれらは個別には解説しません）。数式を読む場合には、母集団に関するもの（母平均、母分散）か標本に関するもの（標本平均、標本分散、不偏分散）かに注意してください。

■ 検定統計量と確率分布の例（パラメトリック検定）

<table>
<tr><th colspan="3"></th><th>検定統計量</th><th>確率分布</th></tr>
<tr><td rowspan="4">1つの母集団の検定</td><td rowspan="2">母平均の検定</td><td>母分散が既知</td><td>$Z = \dfrac{\sqrt{n}}{\sigma}(\bar{X} - \mu)$</td><td>自由度 n の標準正規分布</td></tr>
<tr><td>母分散が未知</td><td>$t = \dfrac{\sqrt{n}}{s}(\bar{X} - \mu)$</td><td>自由度 n-1 の t 分布</td></tr>
<tr><td rowspan="2">母分散の検定</td><td>母平均が既知</td><td>$\chi^2 = (N-1)\dfrac{u^2}{\sigma^2}$</td><td>自由度 n-1 の χ^2 分布</td></tr>
<tr><td>母平均が未知</td><td>$\chi^2 = \dfrac{\sum_{i=1}^{N}(X_i - \mu)^2}{\sigma^2}$</td><td>自由度 n の χ^2 分布</td></tr>
<tr><td rowspan="6">2つの母集団の検定</td><td rowspan="6">平均の差の検定</td><td>母分散が既知（Z 検定）</td><td>$Z = \dfrac{\bar{X}_1 - \bar{X}_2 - \Delta\mu}{\sqrt{\dfrac{\sigma_1^2}{n_1} + \dfrac{\sigma_2^2}{n_2}}}$</td><td>自由度 n の標準正規分布</td></tr>
<tr><td>母分散が未知</td><td>$T = \dfrac{\bar{X}_1 - \bar{X}_2 - \Delta\mu}{\sqrt{\dfrac{1}{n_1} + \dfrac{1}{n_2}} \sqrt{\dfrac{(n_1-1)u_1^2 + (n_2-1)u_2^2}{(n_1-1)+(n_2-1)}}}$</td><td>自由度 $n_1 + n_2 - 2$ の t 分布</td></tr>
<tr><td>母分散が未知 標本が対</td><td>$T = \dfrac{\sqrt{n}}{u}(\bar{X} - \bar{Y} - \mu)$</td><td>自由度 n-1 の t 分布</td></tr>
<tr><td>平均差検定（等分散）</td><td>$T = \dfrac{\bar{X}_1 - \bar{X}_2 - \Delta\mu}{\sqrt{\dfrac{1}{n_1} + \dfrac{1}{n_2}} \sqrt{\dfrac{u_1^2}{n_1-1} + \dfrac{u_2^2}{n_2-1}}}$</td><td>自由度 $n_1 + n_2 - 2$ の t 分布</td></tr>
<tr><td>平均差検定（非等分散）</td><td>$T = \dfrac{\bar{X}_1 - \bar{X}_2 - \Delta\mu}{\sqrt{\dfrac{u_1^2}{n_1} + \dfrac{u_2^2}{n_2}}}$</td><td>$t$ 分布（ウエルチの検定）</td></tr>
<tr><td>等分散検定（F 検定）</td><td>$F = \dfrac{\left(\dfrac{u_1^2}{\sigma_1^2}\right)}{\left(\dfrac{u_2^2}{\sigma_2^2}\right)} = \left(\dfrac{u_1^2}{\sigma_1^2}\right) / \left(\dfrac{u_2^2}{\sigma_2^2}\right)$</td><td>自由度 (n_1-1, n_2-1) の F 分布</td></tr>
</table>

母平均 $\mu = \dfrac{1}{n}\sum_{i=1}^{n} x_i$ 　　標本平均 $m = \dfrac{1}{N}\sum_{i=1}^{N} x_i$

母分散 $\sigma^2 = \dfrac{1}{n}\sum_{i=1}^{n}(x_i - \mu)^2$ 　標本分散 $s^2 = \dfrac{1}{N}\sum_{i=1}^{N}(x_i - m)^2$ 　不偏分散 $u^2 = \dfrac{1}{N-1}\sum_{i=1}^{N}(x_i - m)^2$

7 もっとも簡単な仮説検定の例

●区間推定と仮説検定の例の比較

P189では、次の区間推定の例題を解説しました。

ある都市の男子高校生の100人の平均身長が165.5cm、母標準偏差が10cmのとき、その年の男子高校生の平均身長はいくらと推定できるか。信頼度95％での信頼区間を求めよ。

この場合には±2あるいは±1.3cmという計算結果が得られました。これを仮説検定に置き換えると次のようになります。この場合には、区間を求めるのではなく、母平均を仮定してその妥当性を検定することになります。

ある都市の男子高校生の100人の平均身長が165.5cm、母標準偏差が10cmのとき、その年の男子高校生の平均身長を167.5cmとしてよいか。有意水準5％で検定せよ。

これは、平均身長を165cmや166cmとしておけばよかったのですが、もし

167.5cmとした場合は間違いだといえるか、というお話です。

● 対立仮説を立てる3つの方法

この場合は、「167.5cm」が大きすぎないかと考えるでしょう。対立仮説の立て方には次の3つの方法があります。

「帰無仮説に設定した値より大きい」という検定は「右片側検定」(下段コラム参照)、「帰無仮説に設定した値より小さい」という検定は「左片側検定」(次頁下段コラム参照)、「帰無仮説に設定した値と等しくない」という検定は「両側検

■ 右片側検定において棄却される範囲

● 右片側検定

参考のため下に積分表示を示しておきますが、重要なのは「1.645以上で5%」ということです。

$$f(x) = \frac{1}{\sqrt{2\pi}} e^{-\frac{x^2}{2}}$$

$$F_{RIGHT}(1.645) = \int_{1.645}^{\infty} f(u)du = 0.05$$

右片側検定
有意水準5%
x ≧ 1.645

$$f(x) = \frac{1}{\sqrt{2\pi}} e^{-\frac{x^2}{2}}$$

■ 母分散が既知の場合の母平均の検定

中心極限定理より「母平均 μ、母分散 σ^2 の母集団から抽出した、十分に大きなサイズ n の標本の平均の分布は正規分布 $N\left(\mu, \dfrac{\sigma^2}{n}\right)$ にしたがいます。するとその標準化した確率変数は $Z = \dfrac{\sqrt{n}}{\sigma}(\bar{X} - \mu)$ となり、これは標準正規分布 $N(0,1)$ にしたがいます。ここまでは推定も検定も一緒です。
ここで、帰無仮説と対立仮説を次のように設定して検定を始めます。
○帰無仮説： H_0： $\mu = 167.5$
○対立仮説： H_1： $\mu < 167.5$
（これは左片側検定）
ここで、n=100、σ=10とすると、Z = 165.5－167.5 = －2.0
Z≦－1.645（有意水準5％）であるから帰無仮説が棄却され、母平均は167.5cmより有意に小さい、となります。

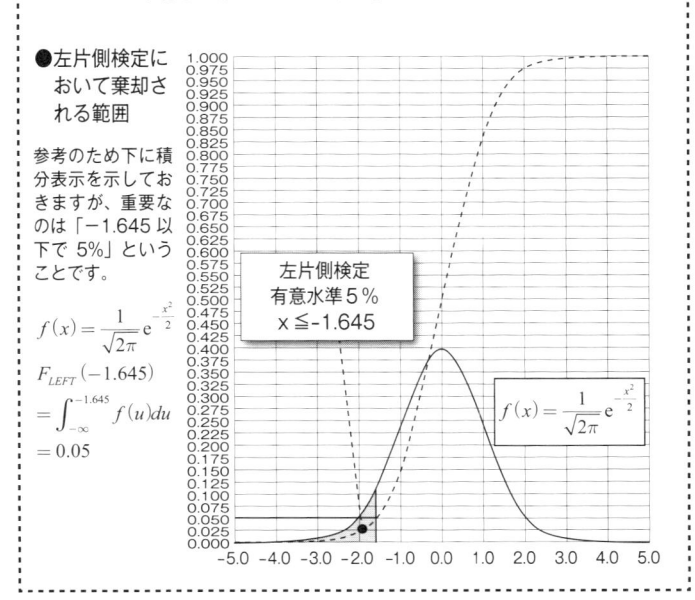

●左片側検定において棄却される範囲

参考のため下に積分表示を示しておきますが、重要なのは「－1.645以下で5％」ということです。

$$f(x) = \dfrac{1}{\sqrt{2\pi}} e^{-\frac{x^2}{2}}$$

$$F_{LEFT}(-1.645)$$
$$= \int_{-\infty}^{-1.645} f(u)du$$
$$= 0.05$$

左片側検定
有意水準5％
x ≦－1.645

$$f(x) = \dfrac{1}{\sqrt{2\pi}} e^{-\frac{x^2}{2}}$$

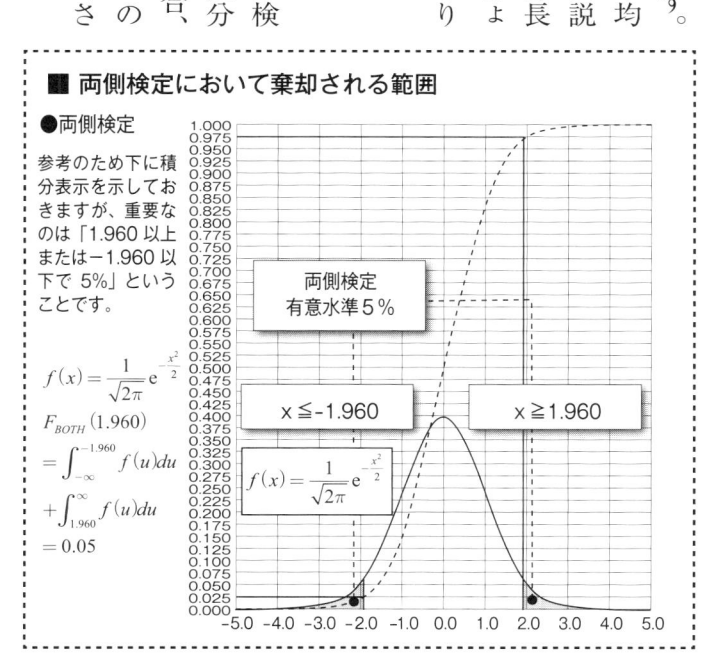

定」(下段コラム参照)といいます。

そうすると、否定したい「平均身長は167.5cm」を帰無仮説とすると、対立仮説は「平均身長は167.5cmより小さい」でしょうから、これは左片側検定となります(右頁参照)。

● 例題を解く

この例題では、確率変数Zが検定統計量、確率分布は標準正規分布であり、有意水準5％の場合、167cmまでなら棄却されないのですが、167.5cmでは棄却されることがわかります。

■ 両側検定において棄却される範囲

● 両側検定

参考のため下に積分表示を示しておきますが、重要なのは「1.960以上または-1.960以下で5％」ということです。

$$f(x) = \frac{1}{\sqrt{2\pi}} e^{-\frac{x^2}{2}}$$

$$F_{BOTH}(1.960)$$
$$= \int_{-\infty}^{-1.960} f(u)du$$
$$+ \int_{1.960}^{\infty} f(u)du$$
$$= 0.05$$

両側検定 有意水準5％

$x \leq -1.960$　　　$x \geq 1.960$

$$f(x) = \frac{1}{\sqrt{2\pi}} e^{-\frac{x^2}{2}}$$

8 とっても便利なχ^2検定の使い方

● χ^2分布やχ^2検定とは何か

本書の最後にとってもとっつきにくいのだけれどとっても興味深い結果が得られる検定方法を紹介しておきましょう。これは母集団にいかなる確率分布も要求しない「ノンパラメトリック検定」の1つです。この検定は次のような場合に利用されます。

○サイコロがイカサマザイかどうか（適合性検定）
○薬の効用が本当にあるかどうか（独立性検定）

これらの検定は、「ある量がχ^2分布にしたがう」ということを既知として検定します。

P110で「標本平均」についての性質を述べましたが、今度は「標本分散のあつかい」に近いイメージであり、「標準正規分布にしたがうn個の独立な変数の平方和がしたがう確率分布が自由度nのχ^2分布として定義されている」ということから始めます。そしてここでも仮説検定のプロセスや片側検定・両側検定が利用されます。ただしこの場合は、標準正規分布のように左右対称ではなく、計算も若干面倒になります。

■ χ^2分布とχ^2検定（参考）

● χ^2分布の定義
標準正規分布にしたがうn個の独立な変数u_i ($i=1,2,\cdots,n$) の平方和は「自由度nのχ^2分布」にしたがいます。

$$\chi^2 = u_1^2 + u_2^2 + \cdots + u_n^2 \in \chi^2(x;n) = \frac{1}{2\Gamma\left(\dfrac{n}{2}\right)} e^{-\frac{x}{2}} \left(\frac{x}{2}\right)^{\frac{n}{2}-1}$$

$$\begin{cases} \Gamma(n+1) = n!, \\ \Gamma\left(n+\dfrac{1}{2}\right) = \left(n-\dfrac{1}{2}\right)\left(n-\dfrac{3}{2}\right)\cdots\left(\dfrac{1}{2}\right)\sqrt{\pi} \end{cases}$$ （Γ関数：階乗の拡張）

● χ^2分布の形状
χ^2分布は自由度nによって異なる形状を描きます。

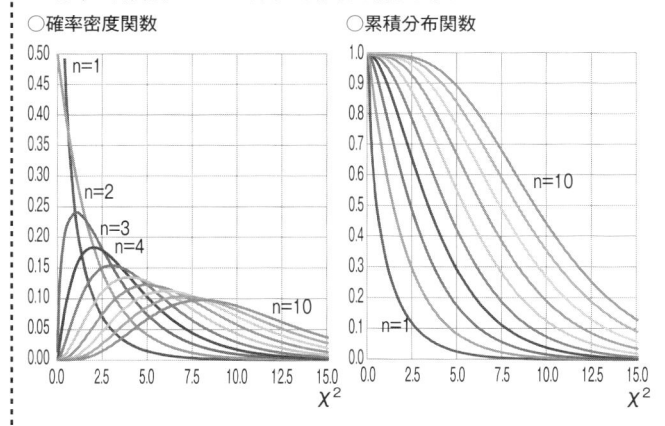

○確率密度関数　　　　　　　　　　○累積分布関数

●適合性検定と独立性検定に使用するχ^2
これらの検定においては次の検定統計量χ^2がχ^2分布にしたがうということを利用します。

$$\chi^2 = \sum_{i=1}^{R}\sum_{j=1}^{C} \frac{\left(A_{ij} - E_{ij}\right)^2}{E_{ij}} \quad \begin{cases} A_{ij}: & \text{実測値の度数} \\ E_{ij}: & \text{期待値（理論値）の度数} \\ R: & \text{行数（}1 \leq i \leq R\text{）} \\ C: & \text{列数（}1 \leq j \leq C\text{）} \end{cases}$$

201　第5章　ウソも見破る推定・検定のテクニック

前頁に道具立てを解説しました。これらの詳細を理解するには若干骨が折れるので、次の実例で大まかなところをつかんでください。

●イカサマザイの検定（適合性検定）

サイコロの6つの目が出る確率がすべて同一なので、これは自由度5のχ^2分布にあたり、その検定統計量は11.5、これがχ^2分布の5%有意水準11.07より大きいので、帰無仮説が棄却されて、このサイコロが正しくはない、という判定が行われます。6の目の面に近いところに錘が埋め込まれていると考えられます。

●独立性検定

新薬の効力を確認するには独立性検定を行

■ イカサマザイの検定（適合性検定）

帰無仮説H_0：サイコロの目の出方は一様である
対立仮説H_1：サイコロの目の出方は一様ではない
これを検定する検定統計量が次のχ^2。

適合性検定では自由度を次のように補正する必要があります。
・一様分布：自由度−1
・二項分布：自由度−2
・正規分布：自由度−3

$$\chi^2 = \sum_{i=1}^{6} \frac{(A_i - E_i)^2}{E_i}$$

$$= \frac{(30-20)^2}{20} + \frac{(18-20)^2}{20} + \frac{(21-20)^2}{20} + \frac{(22-20)^2}{20} + \frac{(20-20)^2}{20} + \frac{(9-20)^2}{20}$$

$$= 11.5$$

$n = 6 - 1 = 5$
$\chi^2_{n=5}(11.07)$
$= \int_{11.07}^{\infty} f(x)dx = 0.05$
$11.07 < 11.5$

目	1	2	3	4	5	6	合計
実測度数 A_i	30	18	21	22	20	9	120
理論値 p	1/6	1/6	1/6	1/6	1/6	1/6	1
期待度数 E_i	20	20	20	20	20	20	120
χ^2	5.00	0.20	0.05	0.20	0.00	6.05	11.5

います。薬効がないものを呑まされても症状の改善の自覚や実際の症状の改善が生じることがあるので、偽薬(プラセボ)を処方したグループとの比較検査を行います。

この場合、薬効の有無の判断は、2つのグループにおける薬効の現れ方を比較して行います。帰無仮説は「新薬の効果と症状の改善は独立＝新薬は効果がない」であり、対立仮説は「新薬の効果と症状の改善は独立でない＝新薬は効果がある」です。

これは自由度1のχ^2分布にあたり(下段コラム参照)、その検定統計量は2.95、これがχ^2分布の5%有意水準3.84より小さいので、帰無仮説が棄却されず、「新薬の効果は見られない」と判定されます。

■ 新薬の検定(独立性検定)

a	b	$a+b$
c	d	$c+d$
$a+c$	$b+d$	$a+b+c+d$

AC/N	AD/N	A
BC/N	BD/N	B
C	D	$N=A+B+C+D$

	効果あり	効果なし	合計
新薬	75	12	87
プラセボ	63	20	83
合計	138	32	170

一般に、2×2分割表の縦計・横計が与えられたとき、もし表の各行・各列が独立ならば、左の表のようになり、合計を使って記述すれば中段の表のようになるはずです。その場合、タスキがけの計算はゼロになります。

$$\frac{AC}{N} \cdot \frac{BD}{N} - \frac{BC}{N} \cdot \frac{AD}{N} = \frac{ABCD - ABCD}{N^2} = 0$$

独立性検定での検定統計量はタスキがけの2乗。

$$\chi^2 = \sum_{i=1}^{6} \frac{(A_i - E_i)^2}{E_i} \Rightarrow \frac{N(ad-bc)^2}{(a+b)(a+c)(b+d)(c+d)}$$

$$= \frac{170 \cdot (75 \cdot 20 - 12 \cdot 63)^2}{138 \cdot 32 \cdot 87 \cdot 83} = 2.95$$

この場合の自由度は1であり、

$$\chi^2_{n=1}(3.84) = \int_{3.84}^{\infty} f(x)dx = 0.05 \quad 3.84 > 2.95$$

■へ
平均	26, 32, 100
平均（ポアソン分布）	136
平均と平均値	16
平均と分散の定理	97, 99
平均の和や積	96
ベイズ統計	183
ベータ分布	150
ベルヌーイ試行	54, 110
偏差値	20, 34

■ほ
ポアソン過程	142, 144, 146
ポアソン分布	116, 120, 136, 144
ポーカーの場合の数の総数	64, 67
ポーカーの役	64, 67
ホールインワンの確率	46
保険外交員の収入	118
母集団	56, 100
母比率の推定	190
母平均の検定	198
母平均の推定	186

■み・め・も
右片側検定	197
ミュー（μ）	26
メジアン	26
モード	26

■や・ゆ・よ
ヤマカン正答率	75, 114
有意水準	192
余事象	60
余事象の確率	74

■ら・り
ラムダ（λ）	136
離散確率	55
離散確率分布	120, 140
両側検定	197
料金所に到着する自動車の台数	144

■る
累積分布関数	92
ルーレット	86
ルーレットで勝つ方法	88
ルーレットの期待値と控除率	86

■れ
連続確率	55
連続確率分布	120, 140

■わ
歪度	28
和事象	60
ワンペアの確率	72

■ **参考書籍**
「キーポイント確率・統計」（和達三樹 十河清著、岩波書店刊）
「入門数理統計学」（P.G.ホーエル著、培風館刊）
「無敵のギャンブル確率論」（九条真人著、技術評論社刊）
「統計という名のウソ」（ジョエル・ベスト著、白楊社刊）

抽出	56
中心極限定理	111, 186
超幾何分布	116, 120, 132
調和平均	16, 22
直線で近似する方法	162, 163, 164, 165

■つ
ツーペアの確率	73

■て
データマイニング	154
適合性検定	200, 202
テラ銭	86
点推定	183, 186

■と
ド・メレの成功と失敗	80
統計	12
等差級数	19
等差数列	19
等比級数	18
等比数列	18
独立性検定	200, 202
トランプの確率	58
取り出した玉を元に戻さない	132

■に・の
二項係数	112
二項定理	112
二項分布	112, 120
二項分布の平均と分散	116, 118
入社試験に受かる確率	74
認知件数	174
ノンパラメトリック検定	185, 200

■は
配当額、配当率	86
排反事象	60
パスカルの三角形	113, 152
パスカル分布	124
パラメトリック検定	185, 195
犯罪件数	174
販売頻度の低い商品の販売頻度	146

■ひ
左片側検定	197
非復元抽出	110
標準化	34, 186
標準正規分布	34, 194
標準偏差	26, 26, 32, 39
標本	56, 100
標本から母平均を推定する	187, 188
標本標準偏差	29
標本分散	29, 104, 106

■ふ
フォーカードの確率	69, 70
復元抽出	110
複合事象の確率	60
負の相関	157
負の二項分布	113, 120, 124, 128
不偏標本分散	29
不偏分散	29, 104, 106
フラッシュの確率	66, 68
不良品の割合	119
フルハウスの確率	70
分割表	185
分散	26, 100
分散の和や積	96
分布	30, 92

■け
月次変動比	169
決定係数	160, 164
検定	182, 192
検定統計量	192, 195
検定統計量と確率分布の例	195

■こ
コイントスの確率	56
高校数学	12
控除額	86
控除率	86
誤差	30
ゴルフボールの軌跡	42

■さ
サイコロの問題	80
サイコロの確率	58
サイコロの目の合計の確率分布	94
最小2乗法	162
最頻値	26
算術平均	16

■し
シグマ(σ)	26
シグマ2乗	26
試行	52
事象	52
地震の発生確率の逆算	78
指数分布	142, 144
失敗する確率	124
失敗の回数を考える幾何分布	124
重心座標	156
自由度	104
重複組合せ	62, 63
重複順列	62, 63
順列	62, 63

所得の分布	148
新薬	203
信頼度	189

■す
推定	182
数列	17, 19
ストレートの確率	66, 69
スリーカードの確率	70, 71

■せ
正規分布	30, 42, 46, 120
成功する確率	124
正の相関	157
セールスマンのノルマ達成	130
積事象	60
全事象	57
尖度	28

■そ
相加平均	16
相関係数	156, 158
相乗平均	16, 22

■た
第1種の過誤	194
第2種の過誤	194
対数正規分布	148
代表値	26, 27
対立仮説	192, 197
宝くじ	84
単純平均	16
誕生日が一致する確率	76

■ち
中央値	26
中間項平均	16, 24

索引

■英数字
1次の代表値	26
2種類の分散・標準偏差	29
2次の代表値	26
3割打者	74
3次の代表値	28
4次の代表値	28
EXCEL	164
EXCELの関数	122

■ギリシア文字
λ（ラムダ）	136
μ（ミュー）	26, 32
σ（シグマ）	26, 32
σ（シグマ）^{2}	26
χ（カイ）^{2}検定	200
χ（カイ）^{2}分布	200
Ω（オメガ）	57

■い・う・お
イカサマザイ	202
医療統計学	184
ウォルマート	154
馬に蹴られて死んだ兵士の数	144
オメガ	57

■か
回帰分析	182
学習指導要領	50
確率	12, 53
確率分布	15, 30, 92, 193, 195
確率分布と確率分布表	93
確率変数	92
確率密度関数	92
確率論と統計学における平均と分散	97
確率論の起源	80
賭けの中断問題	82
火災や交通事故の発生頻度	145
加重平均	16, 24, 84
仮説検定	183, 192, 196
ガンマ分布	150

■き
機械部品などの故障の頻度	145
幾何分布	113, 120, 124
幾何平均	16
棄却	193
季節変動の除去	168
期待値	25, 82
帰無仮説	192
ギャンブルの期待値	84
ギャンブルの賞金の配分	82
ギャンブルの配当率と控除率	90
級数	17, 19
共分散	158
銀行や役所に到着する人数	145
近似曲線のオプション設定	172
近似直線	166

■く
区間推定	183, 186, 196
組合せ	62, 63
グラフによくあるウソ	178

著 者

京極 一樹（きょうごく　かずき）
東京大学理学部物理学科卒。サラリーマンを経た後、理工学関係の実用書籍の編集や執筆を長年にわたって行ってきた。
読者がほしい情報や知識を、豊富な図解をまじえてわかりやすく解説することを信条とする。
主な著書として『こんなにわかってきた素粒子の世界』、『こんなにわかってきた宇宙の姿』、『だれにでもわかる素粒子物理』、『電池が一番わかる』（以上技術評論社）、『いまだから知りたい元素と周期表の世界』、『ちょっとわかればこんなに役に立つ中学・高校数学のほんとうの使い道』『ちょっとわかればこんなに役に立つ中学・高校物理のほうとうの使い道』（以上実業之日本社）など。

※本書は書き下ろしオリジナルです。

JIPPI Compact

じっぴコンパクト新書　101

**ちょっとわかればこんなに役に立つ
統計・確率のほんとうの使い道**

2012年 2 月10日　初版第1刷発行
2012年 4 月19日　初版第4刷発行

著 者	京極一樹
発行者	村山秀夫
発行所	実業之日本社

〒104-8233　東京都中央区京橋3-7-5　京橋スクエア
電話（編集）03-3535-3361
　　　（販売）03-3535-4441
http://www.j-n.co.jp/

印刷所	大日本印刷
製本所	ブックアート

©Kazuki Kyogoku 2012　Printed in Japan
ISBN978-4-408-45380-4（趣味実用）
落丁・乱丁の場合は小社でお取り替えいたします。
実業之日本社のプライバシー・ポリシー（個人情報の取扱い）は、上記サイトをご覧ください。
本書の一部あるいは全部を無断で複写・複製（コピー、スキャン、デジタル化等）・転載することは、法律で認められた場合を除き、禁じられています。また、購入者以外の第三者による本書のいかなる電子複製も一切認められておりません。